Classici dell'Arte

24.

L'opera completa di

Masaccio

L'opera completa di

Masaccio

Presentazione di
PAOLO VOLPONI

Apparati critici e filologici di
LUCIANO BERTI

Rizzoli Editore · Milano

Il principio umano della pittura-scienza

Tommaso Cassai, che più tardi, per qualche ragione della sua tristezza o della sua intemperanza, verrà soprannominato Masaccio, nacque a San Giovanni Valdarno il 21 dicembre 1401.

All'età di cinque anni restò orfano di padre, e poco dopo dovette assistere alle nuove nozze della madre con un vecchio speziale del paese. È da ritenere che la sua infanzia sia stata poco felice, piuttosto gravida di ombre e di carenze, tutta interiore secondo la logica del dolore infantile, anche se la cronaca accenna alla benevolenza del patrigno. Tommaso dovette trascorrere il suo primo tempo per le strade del paese, sugli scalini, dentro il vicinato, davanti a una rappresentazione umana precoce e violenta, tra il silenzio delle porte gentilizie e le voci degli incontri. Egli avrà di sicuro cercato scampo, portandosi dietro il fratello minore Giovanni, anche fuori delle mura, tra le colline lungo le rive dell'Arno. La pittura poteva essere uno studio accostabile, per lui, nella bottega di qualcuno, a impastare, a spezzare le terre, a raschiare le tavole, a inchiodare, sempre con il fratello minore accanto.

La madre rimase un'altra volta vedova e allora la famigliola trasmigrò a Firenze, spinta dalle irrequietezze di Tommaso, forse già divenuto Masaccio, che non potevano essere più placate fra le strade e le piazze di San Giovanni o nelle escursioni fuori le mura, e anche dalla voglia di allargare gli insegnamenti e di esercitare la pittura in quella capitale. A vent'anni Masaccio è a Firenze, aggregato al popolo di San Nicolò Oltrarno; dopo due anni comincia a lavorare con Masolino, suo conterraneo.

Il suo universo è costruito e completato nel giro di un lustro, da un lavoro prodigioso, fondamentale per l'arte della pittura e per la cultura umana, anche se talvolta fu ignorato e distorto e perfino mutilato, come accadde, verso la fine del '500, nella stessa chiesa del Carmine, con la distruzione del chiostro che recava una sagra da lui dipinta. Nell'autunno del 1428, Masaccio parte per Roma, dove la morte lo coglierà, giovane di ventisette anni.

Questi dati, che sono quasi tutto quel che resta della vita terrena di Masaccio, fissano con la loro forza essenziale un campo stretto e sicuro, simile a quello di una scena delle sue pitture, dove corre un'aria adolescente e si compone un racconto battuto dalla premonizione.

Nel clima culturale di Firenze in quell'inizio del secolo, nel gusto e nell'esercizio della pittura, solo un adolescente addolorato, ricco di se stesso e di tutti i confronti con un ambiente umano circoscritto e con una natura compagna, poteva affermare la severità, la bontà naturale, lo slargo prospettico e quella pensierosa, trepida fissità che distinguono il lavoro di Masaccio.

Roberto Longhi nel suo prodigioso *Piero della Francesca* parla di "ansiosa emergenza" e Libero de Libero scrive: "Fu proprio Masaccio, il più giovane di tutti i pittori che siano stati giovani prima, durante e dopo di lui, in pochi anni di gioventù a compiere il miracolo di risvegliare la pittura e di rianimarla con un'urgenza di vita, finalmente reale e terrena, che mai aveva avuto prima di allora".

L'orfano dipinge, e allora in mezzo alla scena avanza la figura della madre, tra il gruppo dei mendichi e degli storpi a prendere l'elemosina da san Pietro. Ella è chiara, femminea, con lo sguardo che accenna alla speranza di un sorriso, la bocca sigillata dalla sua stessa morbidezza femminile. Ella sorte da una fatalità che ancora le trattiene il passo e le vesti: san Pietro guarda altrove e dietro di lui, anch'essi distratti, sono gli apostoli e sotto, di traverso, il corpo esanime di un giovane padre. In braccio alla madre sta, al centro della luce, un infante aggrondato e dolente, mezzo nudo, che regge con dolore la sua grossa testa e che se la tocca con una manina in un gesto appassionato e presago; l'altra mano resta protesa verso il collo e il seno materni. Tutti i bambini di Masaccio sono irrequieti e dolenti, sorpresi in gesti intimi di estraneità e di interrogazione, fuori degli schemi della dolcezza senese o della fissità fiorentina.

Il bambino, contornato da angeli musicanti, della *Madonna* della National Gallery, tiene due dita in bocca e resta distratto con gli occhi in alto, assorti, anche se la sua mano è portata a toccare l'uva che la madre gli porge per consolarlo, per attirarlo alla comunicazione. Così il bambino della tavola di Palazzo Vecchio a Firenze, aggrappato alla mano della madre che cerca mestamente di fargli solletico. Così il bambino della *Madonna* di San Giovenale, anch'egli con due dita cacciate profondamente tra le labbra in un gesto di irrequietezza che lo porta a divincolarsi, con l'altra manina aggrappata al velo materno; così quello biondissimo della rossa piramide fra sant'Anna e la madre il quale, sporgendosi verso qualcuno estraneo al gruppo, buttando avanti le braccia per un abbraccio, sembra voler uscire dalla rigidità della costruzione, dalla dolorosa e severa sacralità di sant'Anna e della sua stessa madre.

Quando la pittura ammette in una delle sue composizioni quell'interlocutore, quel fratello maggiore al quale si rivolge quest'ultimo bambino, e quindi la scena si allarga solennemente, la folla è quella del mondo stesso di Masaccio. Ogni figura scaturisce ed è fissata dalla sua stessa ansia, disposta in un ambiente che è quello vero, assunto per la sua verità fino allo spasimo da un giovane che incontra ed enumera le sue cose e che le riconosce, anche dentro di sé, e che si nutre e si rafforza con questo riconoscimento: i parenti, i compagni, le case intorno, gli alberi uno per uno o in fila, vicini o al confine, le rive celesti del fiume, i palchi gemelli delle colline. Sono i volti degli uomini giusti che Masaccio incontrava o quelli dei mendicanti e diseredati, o quelli dei generosi che lo aiutavano; di sicuro la faccia di san Pietro è quella dell'uomo che gli fece da maestro, nell'adolescenza, e che gli suggerì di mettersi a lavorare nella pittura. Ognuna di quelle figure, e più ancora ognuno di questi volti, è quello di una giornata della vita di Masaccio, di un buon incontro, di un affidamento dal quale egli trae una forza paterna: facce di struttura greve, massiccia, dalla fronte aperta o bozzuta, dalle occhiaie allargate dalla tenerezza, gonfie ai lati per flettersi sulla tempia amorosa, interrompersi sullo sbalzo delle ciglia, sotto le quali s'apre una occhiaia profonda, dolce come una sponda, mobile, dove la palla marroncina dell'occhio e il bianco della sua vela pongono un pensiero triste, assorto, lo stesso che arriva a gonfiare la nuca, che

compenetra gli zigomi e scende fino alle guance tirate, terrose, alle bocche suggellate da uno sgomento di follia paesana. Tutti insieme questi personaggi non sono un gruppo, mai, nemmeno gli apostoli intorno ai gesti di san Pietro. In quello spiazzo di terra che sta davanti agli archetti della casa, che va verso il fiume e verso i calanchi, ognuno narra la sua propria vicenda, alza il suo proprio mento, riempie il suo spazio della sua propria barba; i gesti legano il racconto, che poi trova le sue strutture e le sue cadenze nelle pieghe degli abiti con i quali questi personaggi di campagna sono camuffati, e poi nelle gambe del giovane, nella loro forza vibrante che muove tutta la scena, e poi nell'intervento spaziale degli strumenti fondamentali del paesaggio, o nella ripresa di qualche colore: il rosso calcinoso, il verde stento, raschiato dal greppo delle colline faticose dell'Arno. Forse l' "ansiosa emergenza" di ciascuno, per conto suo, la sua trepidazione (così teneramente accentuata nelle figure dei due giovani ignudi che stanno per ricevere il battesimo), proprio perché collocata nell'ordine scientifico della ricerca prospettica, è quella che ha dato agli storici il suggerimento di un ideale, di una coscienza storica, secondo la quale, per dirla con Eugenio Garin, "pittori come Masaccio e Piero della Francesca generarono e fissarono nei loro affreschi la figura fisica dell'uomo che la meditazione contemporanea andava indicando come l'essere privilegiato, capace di dominare il mondo".

E ancora: "Le figure della cappella Brancacci, nella chiesa del Carmine di Firenze, realizzano le dimensioni che l'uomo assume nella coscienza del '400". Ma la spinta e la gravità umana di queste figure è raccolta da Masaccio nel suo stesso campo, nella sua disponibilità psicologica a cercare padre e fratelli, a cercare se stesso tra quegli adulti sbandati e quei giovani intimiditi, meravigliosi compagni destinati troppo presto a partire, a perdersi nel lavoro servile o ad affogare nei gorghi del fiume. La crescita, in ogni piccolo paese, è affidata al vento, alle correnti, agli incontri come quella di un polline, che è la più disponibile e aperta, la più accorata, la più fervida, quella che riesce da una scaglia di terra sopra un sasso a far germogliare una pianta, ad accendere un colore.

La rivoluzione formidabile, che Masaccio mette in atto, prorompe anche dal suo cuore di orfano, dalle sue manchevolezze, dalle sue paure. Queste paure sono tutte raffigurate nella tavola della *Crocifissione*, che è nelle Gallerie Nazionali di Capodimonte, a Napoli, e nella *Trinità* di Santa Maria Novella, a Firenze. In entrambe il corpo del Cristo è paterno, allettante quanto respingente; l'inguine e il pube sono bianchi, lavorati da una curiosità spasmodica come mai nessun'altra fra le opere di Masaccio: specie quello della *Trinità*, che è anche il più duro, colto fino alla oscenità della macchia pelosa. In tutte e due le figure del Cristo, la testa appare staccata, come fosse stata portata via e poi rimessa. Nella *Trinità* la testa del crocifisso è addirittura rimpicciolita, sfuggente, come se il suo volto fosse quello di uno che si abbia paura di guardare. Lo schermo fra queste figure e il pittore, o colui che guarda, che è sorpreso e che ha paura che il panno scenda e che si scopra la verità paterna, è dato da un'aria immobile, istituita in una scena ufficiale, architettata proprio come la porta di una chiesa, di un tribunale, di una scuola. E lo schermo è ancora appesantito dalle due figure sul primo scalino, della Vergine e di san Giovanni, che sono appunto quelle di una donna e di un uomo senza alcuna pietà, ma piuttosto con i simboli degli ordinamenti della vita: la faccia della donna ha un ghigno di compassione ostentata, trattenuta dallo sdegno in un gesto di meccanica intercessione; la faccia dell'uomo è fredda, da notaio e da guardiano. Ancora più sotto, le facce dei committenti, cioè dei borghesi o dei parenti, sono inebetite, caricaturali, sagomate e ritagliate da una verità piatta e convenzionale.

Anche se intorno a lui c'è un nuovo fervore tra i teologi, gli umanisti, i governanti, e se grande prestigio hanno sull'ambiente di Firenze le figure di Donatello e di Brunelleschi, Masaccio si muove, si arrovella, guarda, sbatte, tasta le cose che ha intorno, stabilisce le dimensioni del suo mondo dall'angolo di una casa a una collina, ridiscende fino al fiume, incontra il pescatore, il mendicante, il contadino, con i quali scambia una parola: un mondo di uomini che ha coscienza degli impegni della vita come della materialità della sua esistenza. Ma proprio attraverso questa acquisizione della realtà sono infranti i limiti dell'urgenza autobiografica e della confidenza emotiva, cioè nella presa di possesso del proprio dolore come di una cosa che può essere analizzata e spostata, e quindi espressa. Masaccio acquisisce la sua prodigiosa cultura, che resterà sempre venata di una severa tristezza e di una grossolana colpa (quelle che lo costringeranno a rinunciare a dipingere la faccia di Cristo nell'affresco del *Tributo*, la quale sarebbe dovuta essere bionda e accattivante per i canoni della devozione), ma che darà ai suoi risultati un significato universale e perenne.

Con la crisi del senso trascendente della natura e della storia comincia a svuotarsi il dominio temporale e culturale della Chiesa, che aveva improntato tutte le vicende del Medioevo.

Il Rinascimento ha fissato in due fasi questo processo. La prima attraverso il recupero di un modello di cultura antropocentrico, ma ancora di tipo classico-aristocratico, che doveva servire anche come nuova base di legittimità per il 'Principe', ma non a scardinare l'ordine gerarchico 'naturale'. La seconda, in cui il centro di gravità e d'autonomia veniva fondato nel 'soggetto', come interprete delle leggi della natura e autore della storia: anche se si trattava ancora di soggettività privilegiata e ristretta, era già in procinto di progettare nuovi 'ordini' nella natura e nella società. (Nascita della Scienza e della Nova scienza).

Nella prima fase di questo processo, nel Quattrocento, la pittura afferma una doppia funzione rivoluzionaria: essa era praticata da artigiani, figli di popolo (di un barbiere, Paolo Uccello; di un calzolaio, Piero della Francesca; di un macellaio, Filippo Lippi), e considerata una delle arti meccaniche.

In realtà e con questo sentimento, attraverso la novità della prospettiva si compiono due operazioni: si fonda l'arte sulla scienza, si elevano i protagonisti popolari di arti 'meccaniche' alla dignità delle arti liberali, con il vantaggio di una doppia integrazione culturale e sociale. L'ideale quattrocentesco di una cultura unitaria, da contrapporre e sostituire a quella totale teologica, si realizza contemporaneamente all'ideale conoscitivo del mondo attraverso la logica concreta della pittura-scienza, contrapposta alla logica aristotelica degli universali astratti. È l'ideale teorizzato dai Coluccio Salutati, Marsilio Ficino, Nicolò Cusano: e significa non solo l'affermazione del realismo umanistico, ma la interpretazione aperta del platonismo.

La prospettiva, attraverso l'ideale dell'occhio immobile, fissato dallo sgomento della rivelazione scientifica, costruisce però anche quel tipo di oggettività razionalistica in cui la storia si riduce ("le tre dimensioni sono il risultato di infinite dimensioni": Novalis) e si fissa sotto l'ordine invisibile delle relazioni matematiche. Se è vero che la terza dimensione introduce il ritmo del corpo in movimento e se "la sua teorizzazione" scrive Dino Formaggio "segna la teorizzazione del moto avanzante dell'uomo (e della sua visione) e coincide con la suprema esaltazione dell'uomo che come corpo naturale entra nel mondo", è nel sentire la società non come natura data, con le sue gerarchie sociali, nell'introdurre nello "spettacolo geometrico" presenze di umanità marginale, nel rompere le regole materiali della gerarchia rispettando quelle formali della geometria euclidea, che Masaccio pratica la pittura rivoluzionaria del Quattrocento in maniera rivoluzionaria.

Il valore della sua opera si amplia oltre i limiti storici e biografici del suo tempo, e indica anche dal di dentro della pittura, nel modo in cui stabilisce in termini plastici il valore permanente e tragico del sottosuolo della storia, il rischio di restaurazione che è dentro ogni rivoluzione razionalistica. Nella crisi di transizione fra i due mondi, che si svolge al livello dei poteri e dei valori del nuovo dominio, Masaccio salva definitivamente la pittura italiana dall'iconismo consolatorio, anche se prima di lui Giotto e i Lorenzetti erano già andati al di là della "tavola" e lavorando sui muri avevano dovuto affrontare i nodi del racconto e la vertigine della prospettiva, riuscendoci con purissimi grigi, rosa, rossi, gialli copiosi, e campi, collinette e vigneti, da commuovere a maggior ragione un buon figliolo di campagna. Masaccio allarga la pittura e vi mette dentro aria e vi impasta terra, fino a costruire quelle figure ignote, ma vere e larghe di riferimenti e di umanità, che potranno sostenere sulle loro spalle tutti gli sbagli della nostra storia civile, da quel 1425 ad oggi. I deboli di ingegno, i servitori dei principi fiaccati della seconda metà del '600, gli addetti culturali, gli organizzatori di festivals, vorranno ad un certo punto distruggerle e sarà solo una povera duchessa di Urbino, l'ultima dei Della Rovere, Vittoria, andata sposa il 1634 ad un Medici duca di Firenze, sofferente anche lei per le sue proprie vicende di sposa e di madre, che ne capirà il significato e che le salverà. Così Firenze dovrà a questa duchessa anche gli affreschi del Carmine oltre al gruppo di tesori che l'infelice sposa aveva recato nella sua dote, spogliandone le stupende stanze di Urbino: i Piero della Francesca, i Tiziano, i Raffaello. In cambio ne avrà un mediocre ritratto del pittore fiammingo Justus Sustermans, che la rappresenta addirittura con i simboli della penitenza e dell'abbandono. La duchessa riuscirà a respingere l'attacco agli affreschi del Carmine portato da un certo marchese Ferroni, interprete delle esigenze di ammodernamento dei buoni frati. Contro marchesi del genere e contro tutti gli accomodamenti delle stesse realistiche e ministeriali esigenze, nell'avvicendamento secolare dei primi e dei secondi, questo popolo delle figure di Masaccio riuscirà a salvarsi, molto spesso dimenticato nel fondo della sua passione.

Su quei muri e in quei radi cortei è effigiata la qualità fisica di una resistenza civile, di un fronte perenne di umanità; l'occhio sempre aperto o distolto per la compassione, o inclinato nella meditazione, guidato, dritto, teso, sempre all'altezza dell'uomo, da una coscienza che sta per arrivare alle labbra, che parrebbe disserrarle con un discorso.

Ma questi uomini di Masaccio sono muti, come se avessero pronunciato tutte le parole prima, ed egli le avesse solidificate in quella pittura e in quegli spazi o che le avesse portate strette dentro di sé sino al momento della sua scomparsa a Roma; muti, anche perché a tutto sembra sovrastare l'urlo strappato di Adamo e di Eva scacciati dal Paradiso. Eva apre la bocca per liberarsi dell'empito: lo guarda salire verso il primo cielo, immediatamente sopra la sua testa, là dove stanno i piedi di Dio e quelli dei prepotenti: la sua sorte di femminile soggezione ne discende e la imbianca e la imbellisce. Adamo invece inghiotte l'urlo, e con il gesto stesso delle mani se lo porta dalla testa, dalla fronte, dagli occhi, attraverso una rapida bocca e l'acutezza del mento, giù dentro il petto, che lo rinserra strutturandosene, gonfiandosene fino a inarcare la schiena.

Alla fine, dopo che il silenzio gravido ha percorso le scene nell'eco dell'urlo del primo uomo, legando i diversi quadri con i gesti, i panneggi e le gambe del giovane e dei miracolati, le finestre e la profondità delle strade, pare che uno degli uomini stia per parlare: quello che, a fianco della cattedra gialla di san Pietro, unico leva gli occhi verso di noi per guardarci, unico ad avere le guance animate da un soffio e il labbro appena sollevato: l'ultimo, colui che raffigura Masaccio. Da quel momento egli è pronto a sparire. Passa senza indulgenza e, finito il suo lavoro, esplorato il suo mondo, stabilitane la storia (e quella propria), fissatane l'asperità terrestre nelle colline, nei calanchi, nella vegetazione rada e accanita, e la speranza in qualche bianco castello o clivo più dolce e verde, fugge per Roma, perché in San Giovanni Valdarno e in Firenze ha toccato e visto tutto, capito quello che c'era da capire: ne ha ricevuto un buon mestiere e un'età e un corpo da uomo, anche se alla meglio infagottato. Masaccio crede di poter cominciare a fare il pittore a Roma: la sua forza, la sua purezza amorosa, i risultati di Pisa e di Firenze, un cavallo, una strada e l'ansia che ancora lo preme gli sono sufficienti per partire. Ha davanti a sé un viaggio e una città favolosi, un mondo ancora vastissimo e oscuro che ha appena intravisto qualche anno prima. È pronto a rischiare se stesso, a perdersi del tutto dentro la grande macchia che aleggia su Roma, è pronto ad affrontare competizioni, comitive, ad allargare il cerchio, a discutere, a conquistare. Nella sua pittura non ci sono ancora l'impasto e l'ornamento della sensualità: forse a quell'età di ventisei anni anche questa, come dote razionale, come stimolo della ricerca, comincia a spingerlo. Masaccio sparisce dentro Roma, senza testimonianze, senza spettacolo; distoglie gli occhi, muove una mano, un ginocchio: le sue giunture ancora spesse s'irrigidiscono; si dissangua per una ferita o si estenua nel tremito di una febbre, o cade da cavallo, o sparisce in chissà quale lotta o inganno della città.

"Dicesi morto a Roma per veleno": è la notizia che corre a Firenze fra creditori e notai.

PAOLO VOLPONI

Masaccio *Itinerario di un'avventura critica*

Nel 1924 il Somarè notava la costanza dei risultati della critica masaccesca in cinque secoli, pur mutandosi — secondo le epoche — i criteri almeno apparentemente preminenti e parte della terminologia. Anche per il seguito si potrebbe dimostrare la catena ripetitiva (nella seguente piccola antologia abbiamo cercato, anzi, di evitarlo al massimo). Comunque qui ci limiteremo a considerare positivamente le tenaci risultanze circa Masaccio, come prova della tenuta duratura della sua fama, e dell'evidenza e indiscutibilità di alcuni caratteri salienti. Abbiamo cercato di riunificare in pochi punti tali aspetti, come anche quelli che restano più problematici.

1) L'appartenenza di Masaccio alla pittura moderna, di cui è, nel proprio settore figurativo, uno dei fondatori. Ciò già risulta con la famosa citazione da parte dell'Alberti del suo nome (l'ipotesi di Janitschek che si trattasse invece dello scultore Maso di Bartolommeo, pure detto Masaccio, va scartata, non per comodità retorica, ma per l'indiscutibile presenza di una forte esperienza masaccesca nell'Alberti). Poi è Leonardo a stabilire, dopo la prima ma incompiuta emergenza di Giotto, la ripresa — definitiva soltanto con Masaccio — dell'"opera perfetta" (quindi, moderna). L'Alberti misurava Masaccio sulla statura degli antichi, da lui con gli altri grandi compagni rieguagliata; Leonardo, su un'idea di progresso inseparabile da un'ispirazione naturalistico-oggettiva diretta (e non mero sviluppo di 'imitazione' formalistica). In realtà ciò che essi intendevano erano, forse, le medesime 'verità' e 'dignità' umanistiche finalmente recuperate da Masaccio, punto di partenza per un'arte che significasse libertà (dal tradizionalismo 'integrato' dei medievali) e al tempo stesso conquista (in una positiva esplorazione e in un radicale recupero). Frattanto tutti i pittori fiorentini o soggiornanti a Firenze, del Quattrocento o primo Cinquecento, studiavano al Carmine (la lista del Vasari parte da Angelico e Lippi, giungendo a Rosso, Pontormo, Berruguete, compreso Michelangelo nonché Raffaello); e Perin del Vaga, esponente della nuova grande 'Maniera' romana, l'anno 1523 dovette scommettere che avrebbe dimostrato, contro il culto incondizionato, che ormai quelle pitture di un secolo prima erano eguagliabili e superabili. Tuttavia l'esaltazione dei locali per "una maniera sì moderna" non sembra, nemmeno dopo codesto episodio — e dopo tutte le altre vaste esperienze cinquecentesche —, ingenuamente irripetibile allo stesso Vasari. Delle figure del polittico di Pisa, per esempio, il biografo aretino scrive — come pure altrove — "che alcune ve ne sono, che appariscono modernissime". Anche l'epitaffio di Annibal Caro (1550), nei riguardi del supremo Buonarroti, è significativo: sottile svalutatore di Donatello, Michelangelo doveva tollerare invece che ancora gli

si osasse richiamare un magistero di Masaccio. Dovrebbe però far riflettere quanto accadde mentre è ancora fresca la seconda edizione delle *Vite* vasariane: nel rinnovamento controriformistico delle chiese, promosso e approvato da Cosimo I e dai successori, il Vasari stesso cela dietro un proprio altare (1570) la sublime *Trinità* in Santa Maria Novella (n. 21); poi spariscono l'*Annunciazione* di San Niccolò (n. 24) e il polittico di Pisa (n. 10), vengono distrutti (1600 c.) la *Sagra* (n. 3) e (1627) il *Sant'Ivo* di Badia (n. 14); così come a Roma si disfà l'altare di Santa Maria Maggiore (n. 25). Dinanzi a un attivismo modernistico anche brutale del 'sistema', non si ha dunque — cominciando dal bravo Vasari — resistenza effettiva. Del resto l'età barocca in generale non ritroverà radici per sé prima del sec. XVI o dell'antico, e la fama di Masaccio regredirà quindi, in quella grande crisi culturale, a scarsa memoria erudita. La Firenze granducale per di più è un po' scaduta a rango di provincia. Il Baldinucci si contenterà, per Masaccio, di constatare la "nobil discendenza de' suoi congiunti"; o di lamentare la distruzione della *Sagra* a opera del convento, ma non del *San Paolo* — pure del Carmine —, distrutto dai potenti marchesi Corsini per il rinnovamento della loro cappella. Circa nel 1690, tuttavia, il marchese Ferroni viene impedito di distruggere anche il ciclo della cappella Brancacci, magari per un concorso, nel veto della granduchessa madre, di ragioni bigotte con le istigazioni artistiche; ma bisognerà attendere l'attuarsi della svolta antibarocca e neoclassica, perché un'autentica vitalità culturale pervada nuovamente la fama del maestro. Pare che la rivalutazione avvenisse già sulla metà del sec. XVIII, anche prima di Patch, con Mengs (che intervenne per il restauro della cappella Brancacci dopo l'incendio del 1771), Reynolds, Lanzi: Masaccio viene indicato ora come il precursore di Raffaello. Poi Stendhal, Delacroix (fino al nostro secolo, gli stranieri sono i critici migliori, in grazia di una maggiore larghezza e vitalità d'idee) ribadiscono a loro volta nella prima metà dell'Ottocento il fondamentale ruolo del "primo pittore che passa dal merito storico al merito reale". Come poi Masaccio col Novecento sia apparso addirittura un nostro contemporaneo, dalla pittura di Rosai alla critica del Longhi, è superfluo ricordare.

2) La struttura essenziale ma concretissima e profondamente umana, nonché classica, della pittura masaccesca. A tale proposito, le poche righe del Landino nel 1481 contengono già tutti gli elementi, cominciando dal famoso "puro sanza ornato". A ciò si collega lo scrupolo di verità ("perché solo si dicte all'imitazione del vero"); mentre il naturalismo, traverso "le figure vivissime" di Vasari, potrà divenire anche "l'espressione" cara ai romantici (e del resto già intuita da Mengs e Lanzi). Il "gran

rilievo" ritorna fin nei "valori tattili" di Berenson. Il "buono compositore" vale come alto classicismo inventivo, la "gran facilità" è la conclusiva sicurezza e sprezzatura stilistica. Nelle sue molte notazioni, un critico finalmente sciolto come Vasari aggiungerà una "vivacità nei colori", piuttosto generica ma che vale per tutta la pittoricità che non mancò a Masaccio; e, meglio, una "terribilità nel disegno", espressiva della forza stilistica. Allorché però Vasari scrive, per esempio, del perduto *San Paolo* del Carmine (n. 16), che "chi conobbe S. Paulo, guardando questo, vedrà quel dabbene della civiltà Romana; insieme con la invitta fortezza di quello animo ...", la significatività etica di Masaccio, così sentita specialmente dalla critica del Novecento, sarà già avvertita.

3) A proposito di ciò, converrà magari notare che però, dal Rinascimento e fino a tutto il secolo XVIII, tranne eccezionali notazioni, l'apprezzamento di Masaccio si svolse in senso apparentemente soprattutto formale, rimanendo piuttosto implicita la grande carica psicologica. Non certo che essa debba essere sfuggita, dall'Alberti a Michelangelo al Vasari, ma più interessò la soluzione generale di forma: si andava alla cappella Brancacci, si fosse pure temperamenti opposti, come l'Angelico o il Castagno, Ghirlandaio o il Botticelli, "a prendere i precetti e le regole del far bene" [Vasari]. Bisogna attendere la filosofia romantica dello Spirito perché Rumohr e Hegel si volgano all'animo di Masaccio, Rumohr aiutandosi anche con questo a distinguere — come fece benissimo (sin dal 1827) — i tre pittori presenti al Carmine. Ne derivò comunque ai due tedeschi l'idea conclusiva di costituire un duo complementare e quasi dialettico: Masaccio-Angelico, a fondamento della freschezza naturalistica e sentimentale del primo Rinascimento. Che in seguito minacciò, tuttavia, di far fraintendere Masaccio, come il naturalista esterno in confronto all'Angelico religioso e psicologico; e motivò la chiamata [Milanesi; Cavalcaselle] in rivalità con lui del Beato, appunto, e di Giotto (si era romantici! e Ruskin frattanto attaccava il perfezionismo del Rinascimento, "un'epoca cattiva"). Per uscire dall'*impasse*, occorrerà attendere così fino a che Berenson — il cui Masaccio quale "Giotto rinato" è dunque, semmai, consolativo della retroguardia critica — sentirà di "toccare ... simile razza [che] potrebbe impossessarsi della terra". Una fortissima razza, finalmente dunque di pari valenza fisico-psichica, che rimarrà, in definitiva, sulla scena di tutta la critica seguente. Si chiamerà poi in causa la filosofia neostoica di un Bruni, e il senso civile della Firenze repubblicana impegnata contro il signore di Milano; o si presenterà un Masaccio proletario e antiborghese (tale si diceva anche il regime fascista); d'altra parte, per scrupolo crociano, lo si farà piuttosto antintellettualistico e intuitivo; ma non potrà

non risultare un po' sconcertante che l'analisi sociologico-marxista di un Antal venga a concludere [1948] che codesto Masaccio fu l'esponente, in definitiva, di un gusto razionale e difficile, oligarchico alto-borghese. E siamo già ai problemi della critica del dopoguerra: il Masaccio inteso come personalità costituente un elementare blocco plastico e intuitivo, si presenterà come qualcosa di più complesso.

4) Tra le qualificazioni del Landino è rimasta infatti semmai trascurata quella di "universale", un cui sviluppo si può ritrovare nello "studiosissimo" vasariano, collegato poi alle "difficultà della prospettiva". Per quest'ultimo aspetto si sono avuti ulteriori contributi con gli studi attuali, e così per il rapporto con l'antico (ancora però poco approfondito); ma è certo che la scomparsa di diverse opere (l'*Annunciazione* di San Niccolò [n. 24], il *Sant'Ivo* di Badia [n. 14], i *Nudi* dei Rucellai [n. 12] ecc.) ha reso meno sensibile la latitudine relativa all'anatomismo; prospettiva architettonico-umanistica; virtuosismo nell'impianto prospettico di figura; e poi ritrattistica (*Sagra* [n. 3] ecc.); significatività simbolica e allusiva ecc., che dovette avere, in ogni completezza, la pittura di Masaccio. Da ciò l'impossibilità di procedere a un preciso confronto parallelo con van Eyck, che può apparirci più ricco di esperienze di quanto sia stato in realtà rispetto al fiorentino; da ciò la tendenza all'interpretazione unilaterale, anche se di altissima stima, di Masaccio, riscontrata nella critica italiana pur migliore (fa eccezione, semmai, l'equilibrata oggettività di un Salmi). Da ciò anche l'avversione in taluni a prospettarsi una gradualità della formazione culturale masaccesca; come a interessarsi di una possibile complessità semantica, contenutistico-allusiva, nelle sue opere (secondo quanto invece prospettano, sia pure spesso un po' troppo sottilmente e concludendo talora astrusamente, alcune indagini di studiosi stranieri). Eppure Masaccio, anche se povero, appartenne indubbiamente a un'aristocrazia intellettuale (lo dimostrano gli stessi dati biografici); e anche se di genio fulmineo, dovette impegnarsi a fondo nella creazione del nuovo sistema rinascimentale. Dobbiamo ricordare che fu chiamato Masaccio, secondo la tradizione raccolta da Vasari, perché "avendo fisso tutto l'animo e la volontà alle cose della arte sola, si curava poco di sé, et manco d'altrui".

Ed è tale Masaccio più completo ancora da recuperare, volendo rendere veramente onore a tutta la profonda meditazione in cui si astrasse. Se, considerata pur soltanto nell'espressione della pittura, la civiltà umanistica italiana ci appare quanto mai ricca, complessa e laboriosa intellettualisticamente, non dobbiamo scordare che l' 'universale' Masaccio — sebbene "puro" e cioè radicale e non divagante in esteriorità — fu proprio alla base di essa.

Ma poi che io dal lungo exilio in quale siamo noi Alberti invecchiati, qui fui in questa nostra sopra l'altre ornatissima patria riducto, chompresi in molti ma prima in te, Filippo [Brunelleschi], et in quel nostro amicissimo Donato [Donatello] sculptore et in quelli altri Nencio [Ghiberti] et Luca [della Robbia] et Masaccio, essere a ogni lodata cosa ingegnio da non postporli acqual si sia stato anticho et famoso in queste arti.

L. B. ALBERTI,
Della pittura (Dedicatoria al Brunelleschi), 1436

... ci è carestia di maestri, che sieno buoni ...; n'è morti una sorte, che erano a Firenze, ... i quali erano buoni maestri tutti. Cioè, uno chiamato Masaccio, un altro chiamato Masolino ...

A. FILARETE, *Trattato di architettura*, 1451-64

Masaccio pittore, uomo maraviglioso ... insino a' tempi sua, di chi s'abbia notizia, riputato il migliore maestro.

A. MANETTI, *Vite di XIV uomini singhulary in Firenze dal MCCCC innanzi*, 2ª metà del sec. XV

Fu Masaccio optimo imitatore di natura di gran rilievo universale buono compositore et puro sanza ornato: perché solo si dicte all'imitazione del vero: et al rilievo delle figure: fu certo buono et prospectivo quanto altro di quegli tempi: et di gran facilità nel fare essendo ben giovane che morì d'anni ventisei.

C. LANDINO, *Apologia nella quale si difende Dante et Florentia da falsi calunniatori*, 1481

... Dopo questo [Giotto] l'arte ricadde, perché tutti imitavano le fatte pitture, e così andò declinando, insino a tanto che Tomaso fiorentino, scognominato Masaccio, mostrò con opra perfetta come quegli che pigliavano per altore altro che la natura, maestra de' maestri, s'affaticavano invano.

LEONARDO DA VINCI, *Trattato della pittura*, 1500 c.

Pinsi, e la mia pittura, al ver fu pari;
L'atteggiai, l'avvivai, le diedi il moto,
Le diedi affetto. Insegni il Bonarroto
A tutti gli altri; e da me solo impari.

A. CARO, in G. Vasari, *Le vite*, 1550

Costuma la benigna madre Natura, quando ella fa una persona molto eccellente in alcuna professione, comunemente non la far sola: ma in quel tempo medesimo, et vicino a quella, farne un'altra a sua concorrenza; a cagione che elle possino giovare l'una a l'altra nella virtù, et nella emulazione ... Et che questo sia il vero, lo aver Fiorenza prodotto in una medesima età, Filippo [Brunelleschi], Donato [Donatello], Lorenzo [Ghiberti], Paulo Uccello et Masaccio eccellentissimi ciascuno nel genere suo, non solamente levò via le roze et goffe maniere mantenutesi fino a quel tempo: ma per le belle opere di costoro incitò et accese tanto gli animi di chi venne poi, che lo operare in questi mestieri si è ridotto in quella grandezza, et in quella perfezione che si vede ne' tempi nostri. Di che abbiamo noi per il vero uno obligo singulare a que' primi ...: et quanto a la maniera buona delle pitture, a Masaccio massimamente ... Cominciò l'arte nel tempo che Masolino da Panicale lavorava nel Carmino di Fiorenza la cappella de' Brancacci, seguitando sempre quanto e' poteva le vestigie di Filippo et di Donato, ancora che l'arte fusse diversa: et cercando continuamente nello operare, di fare le figure vivissime e con bella prontezza a la similitudine del vero. Et tanto modernamente trasse fuori de gli altri i suoi lineamenti, et il suo dipingnere, che le opere sue sicuramente possono stare al paragone, con ogni disegno et colorito moderno. Fu studiosissimo nello operare, et nelle difficultà della prospettiva, artificioso et molto mirabile ... Cercò più degli altri Maestri, di fare gli ignudi, et gli scorti nelle figure, poco usati avanti di lui ... Mostrò ancora in questa pittura medesima [San Paolo] la intelligenzia di scortare le vedute di sotto in sù; che fu veramente meravigliosa; come apparisce ancor'oggi ne' piedi stessi di detto Apostolo: per una difficultà facilitata in tutto da lui, respetto a quella goffa maniera vecchia, che faceva (come io dissi poco sopra) tutte le figure in punta di piedi. La qual maniera durò fino a lui senza che altri lo correggesse, e egli solo et prima di ogni altro la ridusse a 'l buono del dì d'oggi. ... Et gli artefici più eccellenti, conoscendo benissimo la sua virtù, gli hanno dato vanto di avere aggiunto nella pittura vivacità ne' colori; terribilità nel disegno;

rilievo grandissimo nelle figure; et ordine nelle vedute de gli scorti; affermando universalmente che da Giotto in quà di tutti i vecchi maestri: Masaccio è il più moderno che si sia visto ...

G. VASARI, *Le vite*, 1550

Considerando questa opera [il trittico di Santa Maria Maggiore a Roma] un giorno Michelagnolo et io, egli la lodò molto, et poi soggiunse, coloro essere stati vivi ne' tempi di Masaccio.

G. VASARI, *Le vite*, 1568

... [Masaccio] solamente allumava, et ombrava le figure senza contorni.

G. P. LOMAZZO, *Trattato dell'Arte della Pittura*, 1584

Et in questa scienza [la prospettiva] si affaticarono molto i nostri pittori alquanto remoti da' nostri tempi, come principalmente Paulo Uccello, Masaccio da San Giovanni, Leon Batista Alberti, e più di tutti, non mai a bastanza lodato, Piero della Francesca ...

R. ALBERTI, *Trattato della nobiltà della Pittura*, 1585

Masaccio pittor rarissimo ...

BOCCHI - CINELLI, *Bellezze della città di Fiorenza*, 1677

... Masaccio si vide qual passo gigantesco fece fare in un tratto alla Pittura, che per tanti anni, e avanza così lenta, che pareva piuttosto ferma, e dopo lui non impiegò più d'ottanta anni a salire alla sua maggiore altezza in Italia.

T. PATCH, *The Life of Masaccio*, 1770

Dopo quella prima scuola vennero altri, che avanzarono un poco più, come il Masolino, e il Masaccio, il quale, nell'aria che dava alle vesti, si rassomiglia al gusto di Raffaello, benché gli fosse anteriore di quasi un secolo ...

A. R. MENGS, *Opere*, 1780

Sebbene la sua maniera fosse secca e difficile, la sua composizione, formale e non abbastanza diversificata, in rapporto all'abitudine dei pittori in quel primo periodo, tuttavia i suoi lavori posseggono quella grandezza e semplicità che accompagna, e qualche volta deriva, da regolarità e forza della maniera.
... Egli per primo introdusse un largo panneggio, ondeggiante in modo facile e naturale: egli sembra essere veramente il primo che scoprì il sentiero che conduce ad ogni eccellenza ... e inoltre può essere giustamente considerato come uno dei grandi padri dell'arte moderna.

J. REYNOLDS, *Discourses delivered to the Students of the Royal Academy*, 1784

Le figure [di Masaccio nella cappella Brancacci al Carmine di Firenze] posano o scortano, ciò che a Paolo Uccello non riuscì, variamente e perfettamente ...; l'espressione è così acconcia, che gli animi non son dipinti men vivamente dei corpi. Il nudo è segnato con verità e con artifizio; fa quasi epoca d'arte quella figura tanto lodata nel Battesimo di S. Pietro, la quale par tremare dal gelo. Le vesti, sbandita la minutezza, presentano poche e naturali pieghe; il colorito è vero, ben variato, tenero, accordato stupendamente; il rilievo è grandissimo ...

L. LANZI, *Storia pittorica dell'Italia*, 1789

Gli occhi assuefatti ai capolavori dell'età successiva possono durare qualche fatica a decifrare Masaccio. Mi piace troppo per poterlo giudicare; ciononostante direi che è il primo pittore che passa dal merito storico al merito reale.

STENDHAL, *Histoire de la peinture en Italie*, 1817

[Negli affreschi della cappella Brancacci al Carmine di Firenze] Masaccio stendeva il colore assai pastosamente e in certo senso modellando, per raggiungere meglio la plasticità cui tendeva; Filippino [Lippi], per contro, sottilmente e a liquido ... Non che Masaccio si proponesse questi mezzi di rappresentazione, non ancora usati, allo scopo di rendere più gradevoli le proprie opere. Il suo sentimento forte e virile, l'alto concetto della dignità del compito che gli stava a cuore, non si esprimevano forse a sufficienza nell'usata maniera piana e senza ombre. Viceversa, quelli che gli vennero poco dopo di lui, i pittori fiorentini fino a Leonardo, disconobbero il pieno valore di quei tentativi e di quelle innovazioni, perché non sentivano il bisogno di elevarsi fino a una tale grandiosità e unità di concetto. Verso la metà e sino alla fine del '400, tutte le mani erano intente a sviluppare meglio i particolari, il che, naturalmente, deviava l'attenzione dalle tendenze di Masaccio ...

C. F. RUMOHR, *Italienische Forschungen*, 1827

Nato miserabile, quasi sconosciuto durante la miglior parte della sua breve vita, ha operato da solo, in pittura, la più importante rivoluzione che questa abbia mai subito. Lo splendore della scuola italiana s'inizia con lui. Fino allora, essa non aveva punto scoperto quell'incanto, che le è particolare, delle espressioni vere congiunte a una gran bellezza e purezza. I meriti e i difetti dei pittori italiani che l'hanno preceduto si confondono con quelli delle scuole tedesche ...

E. DELACROIX, in "Revue de Paris", 1830

Io credo che qualunque altra arte sia derivata da lui, Raffaello e gli altri, eccetto i coloristi, per i quali il caso è diverso.

J. RUSKIN, *Modern Painters*, 1843-60

Come Michelangiolo, anche Masaccio sembra che durante i suoi concepimenti faccia astrazione da quanto lo circonda, per trovare nella sua mente l'espressione e la forma più acconcia a rappresentare il pensiero e l'azione delle figure da lui ritratte. ... trascurò per un soverchio studio della realtà quella nobile armonia di disegno e di proporzioni che tanto abbiamo ammirata in Giotto. E mentre cercava di aggiungere quello che si riscontra manchevole nelle opere del grande riformatore dell'arte, fece perdere alle stesse creazioni alcune di quelle grandi qualità ... subordinò l'espressione del sentimento all'amore plastico della forma e alla sua verità anatomica. E la diversità dei due metodi, che pur segnano nell'arte due grandi periodi, può essere riassunta in breve, fondandosi il primo nella prevalente ricerca del sentimento sulla realtà della forma; e il secondo, nella studiata rappresentazione del realismo della forma in confronto all'espressione ideale.

G. B. CAVALCASELLE - J. A. CROWE, *Storia della pittura in Italia* (1864), 1897

... Masaccio, come disse ottimamente Delaborde, ha dunque il merito di essersi preoccupato non soltanto, come è stato asse-

rito, delle realtà feriali, ma di aver compreso, meglio di tutti i suoi predecessori, le condizioni in virtù delle quali codeste realtà possono diventare degne dell'arte ...

E. MÜNTZ, *Histoire de l'Art pendant la Renaissance*, 1889

... In quest'opera [la *Trinità* in Santa Maria Novella di Firenze] regna la piena concentrazione di un quadro centrale. La stretta collaborazione delle tre arti sorelle, architettura, plastica e pittura, la severità della costruzione, l'indipendenza di tutte le figure, il circolo chiuso dintorno, sono qualità che non tutti sono in grado di apprezzare ... In verità, la cappella della Trinità di Santa Maria Novella è il primo esempio di quest'arte dello spazio, il principio di una serie di evoluzioni di cui la fine è segnata dalla *Disputa* e dalla *Scuola di Atene* [di Raffaello, nelle Stanze vaticane].

A. H. SCHMARSOW, *Masaccio-Studien*, 1895-99

Giotto rinato, che muove dal punto in cui la morte ne aveva fermato il cammino, facendo proprio all'istante tutto quanto era stato conseguito durante la sua assenza e approfittando delle nuove condizioni, delle nuove richieste: immaginatevi un simile evento, e comprenderete Masaccio.

Giotto lo conosciamo già, ma in che consistettero le nuove condizioni, le nuove richieste? I cieli medievali si erano aperti e disgiunti e un nuovo orizzonte e una nuova terra erano apparsi, già abitati e gustati dagli spiriti più eletti. Ivi nuovi interessi e nuovi valori prevalsero. L'oggetto di maggior pregio consisteva nella facoltà di dominare e di creare; quello di massimo interesse, in tutto ciò che rendesse più agevole all'uomo la conoscenza del mondo nel quale viveva e il suo potere su di esso.

B. BERENSON, *The Florentine Painters of the Renaissance*, 1896

Masaccio non vuole da noi un'ammirazione riposante e felice; egli esige il rispetto e forse il terrore.

A. PERATÉ, in *Ricordo delle onoranze rese a Masaccio in S. Giovanni Valdarno*, 1903

Masaccio sapeva che la prospettiva ha soprattutto lo scopo di dare una sensazione più netta della struttura dell'opera d'arte, che essa è un mezzo per formarne l'inquadratura, per sostenere il raggrupparsi delle figure, per dare all'occhio un'immagine chiara dei diversi rapporti di grandezza e distanza; e che il suo ultimo fine è di rafforzare l'unità dell'opera e di trasmetterne la sensazione armonica allo spettatore. Perciò, nei dipinti sicuramente suoi, si osserva una simmetria di composizione e un equilibrio delle varie parti ...

J. MESNIL, *Masaccio et les débuts de la Renaissance*, 1927

... un drammatico stile di rilievo dove la tradizione era sommersa e riassunta in una convinzione d'esistenza e di potenza che l'arte classica medesima non aveva giammai sognato; di fronte a che il mondo trecentesco crollava come una casupola di cartone. Una frettolosa e inaudita prepotenza personale aveva trascinato un pugno di uomini panneggiati all'apostolica a intavolare le prime battute della vita dopo il diluvio, sopra il terreno ancor madido e di fronte a una natura avvilita e quasi cancellata dal cataclisma. Si riesciva con terrore ad intendere sopra chi avesse a esercitarsi una così tonante energia ... Masaccio era la rivelazione ineffabile di una nuova naturalezza, quasi sciolta dall'assoggettamento a un principio stilistico, ma in grado di produrne, come la natura stessa, infiniti. A Masaccio non si chiedeva una regola per ben comporre o ben colorire, ma quasi di voler rivelare il segreto dell'esistenza corporea in una lirica nobilitata dall'azione.

R. LONGHI, *Piero della Francesca*, 1927

Masaccio fu il pittore della volontà umana. Né altri pittori furono, nel rivelarla, pari a lui perché egli sempre rimase aderente alla vita per dominarla e riformarla col suo stile senza mai andare a riposarsi sulle nuvole dell'astrazione. Lo stesso Michelangiolo può, al confronto di lui, sembrare monotono, quasi schiavo della sua terribilità.

U. OJETTI, *Bello e brutto*, 1930

Il chiaroscuro, in una trasformazione di quello medievale, fluido com'è, dà luogo ad un effetto atmosferisco, precorritore di ulteriori sviluppi; e quasi assorbe la linea di contorno, di cui avvertiamo la sostanziale funzione di delimitazione formale e di moto contenuto della figura, senza che assuma una propria evidenza, per l'iniziarsi della mirabile sintesi masaccesca che a linea e a chiaroscuro congiunge luce e colore. ... Nella pittura di Masaccio, se il colore crea con la luce talora rapporti tonali, fondendosi con questa e col chiaroscuro, concorre *in primis* con essi a costruire la forma; la qual cosa avviene in piena coerenza con le ricerche plastiche dell'artista, coincidenti con le aspirazioni del mondo fiorentino.

M. SALMI, *Masaccio*, 1932

Per esprimere il suo concetto di stoica umanità, egli ha accentuato al massimo il senso plastico; ... quella plasticità esclude ... ogni particolarismo anatomico e di costume ... Proprio a causa di quella pesante, elementare plasticità, superatrice d'ogni contingenza, lo spirito delle immagini si manifesta come si manifesta: contenuto e appassionato; convinto dell'onnipotenza divina e consapevole di sé; sicuro su questa terra, come chi domina un suo dominio; volto al cielo, come chi sa d'essere immortale.

M. PITTALUGA, *Masaccio*, 1935

... se mai vi fu artista ad uscire già armato e deciso dal cervello della pittura, questi fu Masaccio. Per tanto una preistoria pittorica masaccesca non ha senso ... Ma hanno senso invece, e quanto, i precedenti mentali dello spazio brunelleschiano e di una certa vitale crescenza donatellesca ... Dal primo all'ultimo tempo degli affreschi del Carmine lo spirito di Masaccio cresce insomma e matura tremendamente solo sopra se stesso, "senza armature", come soltanto cresceva lì accanto la cupola del Brunelleschi; sia pure col più grande stupore dei babelici operai del Duomo di Firenze, e degli operai poco meno babelici della storia dell'arte.

R. LONGHI, *Fatti di Masolino e di Masaccio*, in "Critica d'arte", 1940

... l'uomo di Giotto, perfettamente concepito nell'armonia delle proporzioni, non era uomo di questo mondo: creato a similitudine della Divinità, manteneva di quella la maestà inaccessibile. Ed ecco sorgere l'umanità del Carmine: un'umanità di eroi, ma di eroi che calcano la nostra terra; un'umanità mossa

da un incrollabile volere, a cui nessuno e nulla potrà opporsi, ma che conosce la lotta e per la lotta è temprata.

U. PROCACCI, *Tutta la pittura di Masaccio*, 1951

... la visione di una umanità terragna, chiusa nella triste coscienza d'un drammatico destino ... Il mondo figurativo di Masaccio contiene, nell'immediatezza poetica della sua espressione, il valore di verità di un'enunciazione filosofica sulla dignità dell'uomo e la perentoria suasività dell'orazione dell'Ulisse dantesco: "considerate la vostra semenza".

R. SALVINI, *Lineamenti di storia dell'arte*, 1953

... La mano di Masaccio si riconosce dalla pienezza dei volumi e dal desiderio di accentuare l'autorità e la autenticità dei tipi.

A. CHASTEL, *L'arte italiana*, 1957

Può sembrare semmai strano che in definitiva il romantico secolo scorso non cogliesse, come osserva giustamente la Pittaluga, il lato "romantico" che è nell'arte di Masaccio (opponendogli in ciò l'Angelico, in una forzatura del pensiero originale Rumohr ed Hegel) ma quello naturalistico, progressista, classico ... Gli occhi novecenteschi, invece, divenuti ormai in un certo senso estremamente "romantici", hanno veduto di preferenza un Masaccio triste, torvo, rivoluzionario, magari "comunista", oltreché "religioso", stoico etc. (dopo la Pittaluga e il Salmi, il saggio di Longhi del 1940 è ad esempio assai indicativo in proposito); e guai a parlare, anni fa, di naturalismo se non trasfigurato, di prospettiva se non mezzo lirico, di umanesimo se non cristianizzato! Il desco da parto di Berlino fu perciò anche espunto — a meno che non vi si sentisse "tragica ironia antiborghese", "malumore dei suonatori assoldati" — e la *Trinità* di S. Maria Novella accusata di "minor spontaneità creativa" ... Oggi però, forse, proprio perché un Rosai è già pittore del passato ... possiamo riguardare Masaccio con altra e più distaccata obiettività; o almeno che così ci pare. Comunque sotto altre angolazioni.

L. BERTI, *Masaccio*, 1964

... riconoscere che il mondo di Masaccio non comportò pressoché nulla di archeologico e di acculturato e che l'operazione di recupero d'una ragione proporzionante che egli condusse non si esercitò mai su altro che non fosse vita e storia presente ...

F. BOLOGNA, *Masaccio*, 1966

Il simbolo, a cui tanto spesso ricorreva la pittura trecentesca, non interessa Masaccio: lo interessa l'*idea*, e questa non si comunica per simboli ma per chiarissime forme. La *Trinità* è una idea-dogma: e non c'è dogma senza rivelazione, non c'è rivelazione senza forma. Nella sua eternità il dogma è anche storia: perciò le figure, anche quella del Padre, sono figure reali e storiche, che "occupano uno spazio". Ma lo spazio che si rivela e concreta col dogma deve essere uno spazio vero, certo, assoluto, *storico* (cioè antico ed attuale) come il dogma stesso: e questo spazio, per Masaccio, è lo spazio prospettico dell'architettura del Brunelleschi.

G. C. ARGAN, *Storia dell'arte italiana*, 1968

Il colore
nell'arte di
Masaccio

Il numero arabo posto qui fra parentesi quadre dopo il titolo di ciascuna opera si riferisce alla numerazione dei dipinti adottata nel Catalogo delle opere (pag. 86-102). • Nelle didascalie in calce alle tavole si indica (in centimetri) la corrispondente dimensione reale (larghezza) del dipinto, o della parte di dipinto, in esse riprodotta.

SANT'ANNA, LA MADONNA COL BAMBINO E ANGELI Firenze, Uffizi
Assieme (cm. 103).

TAV. II   SANT'ANNA, LA MADONNA COL BAMBINO E ANGELI Firenze, Uffizi
Particolare (grandezza naturale) [Masolino?].

TAV. III   SANT'ANNA, LA MADONNA COL BAMBINO E ANGELI   Firenze, Uffizi
Particolare (grandezza naturale).

TAV. IV SANT'ANNA, LA MADONNA COL BAMBINO E ANGELI Firenze, Uffizi
Particolari (ciascuno in grandezza naturale) [Masolino?].

TAV. V   SANT'ANNA, LA MADONNA COL BAMBINO E ANGELI Firenze, Uffizi
Particolari (ciascuno in grandezza naturale).

TAV. VI   SANT'ANNA, LA MADONNA COL BAMBINO E ANGELI Firenze, Uffizi
Particolare (grandezza naturale).

POLITTICO DI PISA
Madonna in trono col Bambino e angeli (cm. 73). Londra, National Gallery

TAV. VIII   POLITTICO DI PISA
Particolare della *Madonna in trono col Bambino e angeli* (grandezza naturale). Londra, National Gallery

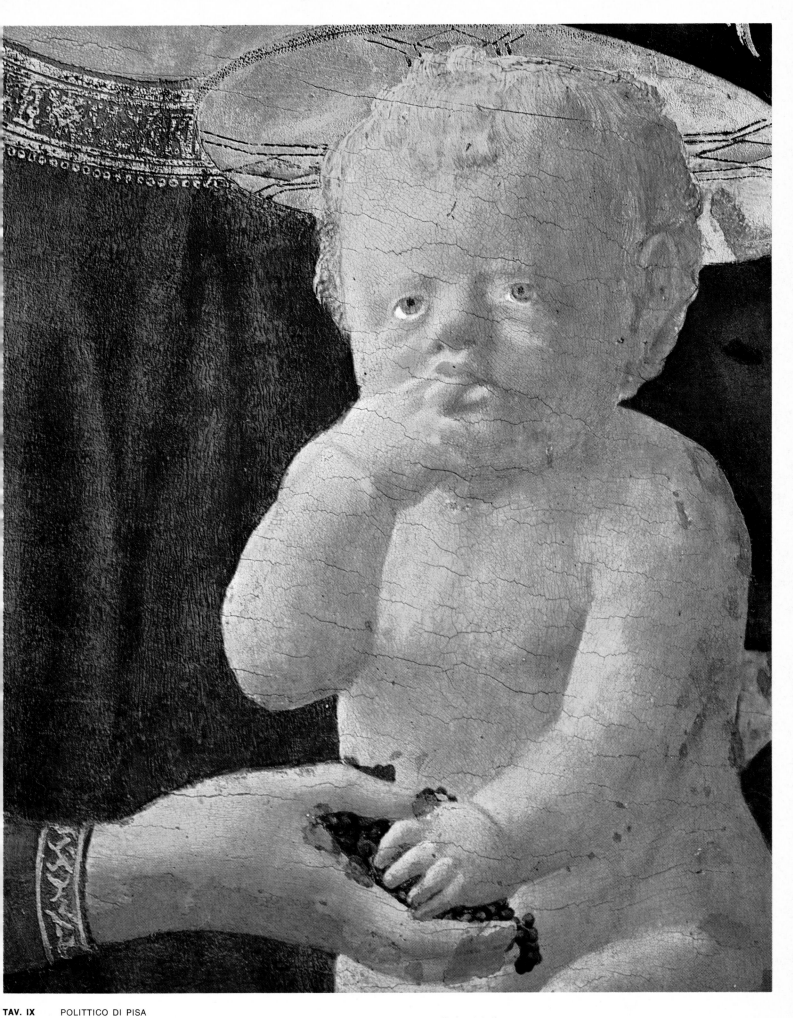

TAV. IX POLITTICO DI PISA
Particolare della *Madonna in trono col Bambino e angeli* (grandezza naturale). Londra, National Gallery

TAV. X POLITTICO DI PISA
Particolare della *Madonna in trono col Bambino e angeli* (grandezza naturale). Londra, National Gallery

TAV. XI POLITTICO DI PISA
Particolare della *Madonna in trono col Bambino e angeli* (grandezza naturale). Londra, National Gallery

TAV. XII   POLITTICO DI PISA
Particolari della *Madonna in trono col Bambino e angeli* (ciascuno in grandezza naturale).   Londra, National Gallery

TAV. XIII   POLITTICO DI PISA
La Crocifissione (cm. 63).   Napoli, Gallerie Nazionali di Capodimonte

TAV. XIV POLITTICO DI PISA
Particolare della *Crocifissione* (grandezza naturale). Napoli, Gallerie Nazionali di Capodimonte

TAV. XVI POLITTICO DI PISA
Particolare della *Crocifissione* (grandezza naturale). Napoli, Gallerie Nazionali di Capodimonte

POLITTICO DI PISA
San Paolo (cm. 30). Pisa, Museo Nazionale

TAV. XVIII POLITTICO DI PISA
Particolare del *San Paolo* (macrofotografia). Pisa, Museo Nazionale

POLITTICO DI PISA
Particolare del *San Paolo* (grandezza naturale). Pisa, Museo Nazionale

TAV. XX   POLITTICO DI PISA
Sant'Agostino e *Santo carmelitano* (ciascuno cm. 12).   Berlino, Staatliche Museen

TAV. XXI   POLITTICO DI PISA
San Girolamo e *Santo carmelitano* (ciascuno cm. 12).   Berlino, Staatliche Museen

TAV. XXIII POLITTICO DI PISA
Martìri di san Pietro e del Battista, scena di destra (cm. 29). Berlino, Staatliche Museen

TAV. XXIV-XXV   POLITTICO DI PISA
L'Adorazione dei Magi (cm. 61). Berlino, Staatliche Museen

TAV. XXVI   POLITTICO DI PISA
Particolari dell'*Adorazione dei Magi* (ciascuno in grandezza naturale). Berlino, Staatliche Museen

LA TRINITA Firenze, Santa Maria Novella
Assieme (cm. 317).

TAV. XXVIII   LA TRINITÀ Firenze, Santa Maria Novella
Particolare (cm. 33).

TAV. XXIX   LA TRINITÀ Firenze, Santa Maria Novella
Particolare (cm. 33).

TAV. XXX   LA TRINITA   Firenze, Santa Maria Novella
Particolare (grandezza naturale).

TAV. XXXI   LA TRINITA Firenze, Santa Maria Novella
Particolare (grandezza naturale).

TAV. XXXII   LA TRINITÀ Firenze, Santa Maria Novella
Particolare (grandezza naturale).

TAV. XXXIII   CAPPELLA BRANCACCI Firenze, Chiesa del Carmine
                 Il Battesimo dei neofiti (cm. 162).

TAV. XXXIV CAPPELLA BRANCACCI Firenze, Chiesa del Carmine
Particolare del *Battesimo dei neofiti* (cm. 46).

TAV. XXXV   CAPPELLA BRANCACCI Firenze, Chiesa del Carmine
Particolare del *Battesimo dei neofiti* (cm. 46).

TAV. XXXVI-XXXVII   CAPPELLA BRANCACCI Firenze, Chiesa del Carmine
Il Tributo (cm. 598).

TAV. XXXVIII CAPPELLA BRANCACCI Firenze, Chiesa del Carmine
Particolare del *Tributo* (grandezza naturale).

TAV. XXXIX   CAPPELLA BRANCACCI Firenze, Chiesa del Carmine
Particolare del *Tributo* (grandezza naturale).

TAV. XL   CAPPELLA BRANCACCI Firenze, Chiesa del Carmine
Particolare del *Tributo* (grandezza naturale).

TAV. XLI   CAPPELLA BRANCACCI Firenze, Chiesa del Carmine
Particolare del *Tributo* (grandezza naturale).

TAV. XLII   CAPPELLA BRANCACCI Firenze, Chiesa del Carmine
Particolari del *Tributo* (ciascuno cm. 138).

TAV. XLIII   CAPPELLA BRANCACCI Firenze, Chiesa del Carmine
Particolare del *Tributo* (cm. 138).

TAV. XLIV   CAPPELLA BRANCACCI Firenze, Chiesa del Carmine
Particolare del *Tributo* (cm. 56).

CAPPELLA BRANCACCI Firenze, Chiesa del Carmine
La Cacciata dei Progenitori (cm. 88).

TAV. XLVI-XLVII   CAPPELLA BRANCACCI Firenze, Chiesa del Carmine
Particolare della *Cacciata dei Progenitori* (grandezza naturale).

TAV. XLVIII CAPPELLA BRANCACCI Firenze, Chiesa del Carmine
Particolare della *Cacciata dei Progenitori* (cm. 47).

CAPPELLA BRANCACCI Firenze, Chiesa del Carmine
San Pietro risana gli infermi (cm. 162).

TAV. L   CAPPELLA BRANCACCI Firenze, Chiesa del Carmine
Particolare del *San Pietro risana gli infermi* (cm. 37).

AV. LI   CAPPELLA BRANCACCI Firenze, Chiesa del Carmine
Particolare del *San Pietro risana gli infermi* (cm. 37).

TAV. LII   CAPPELLA BRANCACCI Firenze, Chiesa del Carmine
Particolare del *San Pietro risana gli infermi* (grandezza naturale).

TAV. LIII   CAPPELLA BRANCACCI Firenze, Chiesa del Carmine
La Distribuzione dei beni (cm. 162).

TAV. LIV   CAPPELLA BRANCACCI Firenze, Chiesa del Carmine
Particolare della *Distribuzione dei beni* (cm. 33).

TAV. LV CAPPELLA BRANCACCI Firenze, Chiesa del Carmine
Particolare della *Distribuzione dei beni* (cm. 33).

TAV. LVI   CAPPELLA BRANCACCI Firenze, Chiesa del Carmine
Particolare della *Distribuzione dei beni* (cm. 33).

TAV. LVII   CAPPELLA BRANCACCI Firenze, Chiesa del Carmine
Particolare della *Resurrezione del figlio di Teofilo e san Pietro in cattedra* (cm. 25).

TAV. LVIII CAPPELLA BRANCACCI Firenze, Chiesa del Carmine
Particolare della *Resurrezione del figlio di Teofilo e san Pietro in cattedra* (cm. 25).

CAPPELLA BRANCACCI Firenze, Chiesa del Carmine
Resurrezione del figlio di Teofilo e san Pietro in cattedra, parte terminale di destra (cm. 215).

TAV. LX   CAPPELLA BRANCACCI Firenze, Chiesa del Carmine
Particolare della *Resurrezione del figlio di Teofilo e san Pietro in cattedra* (grandezza naturale).

TAV. LXI   CAPPELLA BRANCACCI   Firenze, Chiesa del Carmine
Particolare della *Resurrezione del figlio di Teofilo e san Pietro in cattedra* (grandezza naturale).

TAV. LXII   CAPPELLA BRANCACCI Firenze, Chiesa del Carmine
Particolare della *Resurrezione del figlio di Teofilo e san Pietro in cattedra* (grandezza naturale).

TAV. LXIV CAPPELLA BRANCACCI Firenze, Chiesa del Carmine
Particolare delle *Architetture nella Resurrezione di Tabita* (cm. 82).

Analisi
dell'opera pittorica di
Masaccio

Allo scopo di rendere immediatamente palesi gli elementi essenziali di ciascuna opera, l'intestazione di ogni 'scheda' porta, dopo il numero del dipinto (che segue il più attendibile ordine cronologico, e al quale si fa riferimento ogni qualvolta l'opera sia citata nel corso del volume), una serie di simboli, riferiti: 1) all'esecuzione del dipinto, cioè al suo grado di autografia; 2) alla tecnica; 3) al supporto; 4) all'ubicazione; 5) ai seguenti altri dati: se l'opera sia firmata, datata, se si presenti oggi completa in tutte le sue parti, se sia stata portata a termine. Gli altri numeri inseriti nella stessa intestazione riguardano, quelli in alto le dimensioni del dipinto in centimetri (altezza e larghezza), quelli in basso la sua datazione: quando tali dati non possono essere indicati con certezza, ma solo in via approssimativa, sono fatti precedere o/e seguire dalla stelletta *, a seconda che l'incertezza riguardi il periodo precedente la datazione indicata, quello successivo, o entrambi. Tutti gli elementi forniti registrano l'opinione prevalente nella moderna storiografia d'arte: ogni discordanza di rilievo e ogni ulteriore precisazione vengono dichiarate nel testo.

82 Esecuzione

⊞ Autografa

⊞ Con aiuti

⊞ Con collaborazione

⊞ Con estesa collaborazione

⊞ Di bottega

⊞ Prevalentemente attribuita

⊞ Prevalentemente respinta

⊞ Tradizionalmente attribuita

⊞ Recentemente attribuita

⊞ Opera dubbia

Tecnica

⊗ Olio

⊗ Tempera

⊗ Affresco

Supporto

⊗ Tavola

⊗ Tela

⊗ Muro

Dati accessori

▤ Opera firmata

▤ Opera datata

▤ Opera incompleta o frammento

▤ Opera non finita

▢ Opera senza alcuna delle peculiarità suddette

Ubicazione

⣿ Località aperta al pubblico

⣿ Collezione privata

⣿ Località ignota

⣿ Opera perduta

⊞ ⊗ ▤ ⣿

Indicazioni fornite nel testo

Bibliografia essenziale

L'estesissima letteratura su Masaccio venne raccolta da O. H. GIGLIOLI nell'esauriente saggio di bibliografia ragionata ["BIASA" (per queste e ulteriori abbreviazioni analoghe, si veda qui sotto) 1929]; un aggiornamento fino al 1963-64 si deve a L. BERTI [*Masaccio*, Milano 1964]; alcuni contributi posteriori al 1945 sono poi stati registrati nella piccola monografia di A. PARRONCHI [Firenze 1966].

Le fonti principali sono costituite dagli accenni di: L. B. ALBERTI [*Della pittura*, 1436 (ed. Mallè, Firenze 1950)], A. MANETTI [*Vite di XIV uomini singhulary in Firenze ...*, 2ª metà del '400 (ed. Milanesi, Firenze 1887)], C. LANDINO [*Commento a Dante*, Firenze 1481], F. ALBERTINI [*Memoriale di molte statue e pitture ... di Florentia*, Firenze 1510], 'A. BILLI' [*Il libro*, 1516-30 c. (ed. Frey, Berlin 1892)], 'ANONIMO GADDIANO' [*Note biografiche*, 1537-42 (ed. Frey, Berlin 1892)] e, soprattutto, dalla biografia di G. VASARI [*Le vite ...*, Firenze 1550 e 1568²].

Dopo tali apporti, lo studio sul maestro riprende sostanzialmente ad approfondirsi soltanto con G. B. CAVALCASELLE [- J. A. CROWE, *A New History of Painting in Italy*, London 1864, Firenze 1883, London 1909 e 1911, ecc.] e, più, con A. SCHMARSOW [*Masaccio-Studien*, Kassel 1895-99; *Masolino und Masaccio*, Leipzig 1928]. Dal 1896 si hanno gli interventi, proficui specie filologicamente, di B. BERENSON [*Florentine Painters of the Renaissance*, New York-London 1896; fino a *Italian Pictures of the Renaissance - Florentine School*, London 1963]; apporti documentari sono recati da L. TANFANI CENTOFANTI [*Notizie di artisti tratte da documenti pisani*, Pisa 1893, e 1903] e poi da

U. PROCACCI ["RA" 1932, 1935, e 1953]; mentre la distinzione da Masolino viene precisata anche da P. TOESCA [*Masolino*, Bergamo 1908; *Masaccio*, in "Enciclopedia italiana" XXII, 1934]. Utile per la nozione delle fonti risulta il volume di E. SOMARÈ [*Masaccio*, Milano 1924], cui segue l'impegnata monografia di J. MESNIL [*Masaccio et les débuts de la Renaissance*, La Haye 1927], riassuntiva di studi intrapresi nel 1911. Nel 1928-29 il centenario della morte del maestro occasiona vari scritti (da ricordare almeno quelli di: C. GAMBA ["M" 8.IV.1928], M. PITTALUGA ["RI" 1929; "A" 1929, e 1930], H. BEENKEN ["ZBK" 1929-30], H. BROCKHAUS ["MKIF" 1930] e H. LINDBERG [*To the Problem of Masolino and Masaccio*, Stockholm 1931]). Del 1932 è la prima edizione dell'importante *Masaccio* [Roma] di M. SALMI, che dà luogo a varie recensioni. Peraltro la distinzione rispetto a Masolino si confonde di nuovo nei lavori di uno studioso pur acuto quale R. OERTEL [*Die Frühwerke des Masaccio*, Marburg 1933; inoltre: "JPK" 1934, e "MKIF" 1940]; risulta invece efficiente il *Masaccio* di M. PITTALUGA [Firenze 1935], ed eserciterà un ascendente vasto e tenace il noto saggio di R. LONGHI [*Fatti di Masolino e di Masaccio*, "CA" 1940]. Di esso tiene conto, pur con repliche, la 2ª edizione della monografia del SALMI [Milano 1947], che riconferma la solidità dell'opera; contemporaneo, un *Masaccio* di K. STEINBART [Wien 1948]. Poco dopo l'interesse viene ridestato da ulteriori scoperte circa il polittico già in Santa Maria Maggiore a Roma [K. CLARK, "BM" 1951-52; R. LONGHI, "P" 1952; M. SALMI, "C"

1952; M. MEISS, "AN" 1952]; né mancano nuove indicazioni nella monografia di U. PROCACCI [*Tutta la pittura di Masaccio*, Milano 1951, fino a 1961⁴], recensita da C. L. RAGGHIANTI ["SA" 1962]. Segue il ripristino della *Trinità* in Santa Maria Novella di Firenze [CH. DE TOLNAY, "O" 1958; U. SCHLEGEL, "AB" 1963]. Dopo i rilievi iconologici di P. MELLER [*La Cappella Brancacci*, "AC" 1961], la scoperta del trittico di San Giovenale permette di riprendere con fondamento il problema degli esordi di Masaccio [L. BERTI, *Masaccio 1422*, "C" 1961; *Masaccio a S. Giovenale di Cascia*, "AC" 1962], come prontamente si riscontra in U. BALDINI [*Masaccio*, "EUA" VIII, 1958. Interventi si sono avuti anche sull'attività romana di Masaccio [E. LAVAGNINO, "E" 1943; C. BRANDI, "Studi in onore di M. Marangoni", Pisa 1957; D. GIOSEFFI, "E" 1962]; sul suo classicismo [R. OFFNER, "Studies ... W. Suida", London 1959; M. MEISS, "SWA"]; sul lavoro per Pisa [E. BORSOOK, "BM" 1961; J. SHEARMAN, "BM" 1966]; sulla prospettiva [OERTEL, "SWA"; GIOSEFFI, *Prospettiva*, "EUA" XI, 1963; PARRONCHI, *Studi su la dolce prospettiva*, Milano 1966]; sull'iconografia della *Trinità* [H. VON EINEM, *Masaccio's Zinsgroschen*, Köln 1966]; e, in particolare, circa i precedenti trecenteschi [M. BOSKOVITS, 1966]; per la cappella Brancacci sono anche da rammentare i fascicoli con tavole a colori di SALMI [1956] e PROCACCI [1965], oltre ai due 'quaderni' di F. BOLOGNA [1955, e 1966]. La più recente monografia complessiva, di L. BERTI [1964 (vedi sopra)], è stata tradotta dalla Pennsylvania State University Press [1967].

Elenco delle abbreviazioni

A: "L'arte"
AB: "The Art Bulletin"
AC: "Acropoli"
AN: "Art News"
AP: "Apollo"
BA: "Bollettino d'arte"
BIASA: "Bollettino del Reale Istituto di Archeologia e Storia dell'arte"
BM: "The Burlington Magazine"
C: "Commentarii"

CA: "Critica d'arte"
DB: "Deutsche Banzeitung"
E: "Emporium"
EUA: "Enciclopedia universale dell'arte"
FM: "Festschrift Middeldorf ..."
JPK: "Jahrbuch der preussischen Kunstsammlungen"
M: "Il Marzocco"
MKIF: "Mitteilung des Kunsthistorischen Institutes in Florenz"
O: "L'Œil"

P: "Paragone"
RA: "Rivista d'arte"
RI: "Rassegna italiana"
SA: "SeleArte"
SWA: "Studies in Western Art" (Atti del 20° Congresso internazionale di storia dell'arte), Princeton 1963
ZBK: "Zeitschrift für bildende Kunst"
ZK: "Zeitschrift für Kunstgeschichte"

Documentazione
sull'uomo e l'artista

1401, 21 DICEMBRE. Tommaso, poi Masaccio, nasce a Castel San Giovanni in Altura (odierno San Giovanni Valdarno) da ser Giovanni di Mone Cassai e da monna Jacopa di Martinozzo. Il nome di battesimo gli deriva dal santo festeggiato appunto il 21 dicembre. La data di nascita venne fornita dallo Scheggia, fratello di Masaccio (si veda *1406*), al Manetti, nel 1472. Sulla sua famiglia sussistono varie notizie: prima del 1383, da Gaiole in Chianti, si erano stabiliti a Castel San Giovanni un Mone (Simone) d'Andreuccio, col fratello minore Lorenzo, falegnami-mobilieri, cioè 'cassai', mestiere da cui trasse origine il casato (quello Guidi fu posteriore); fra i quattro figli di Mone si trovava Giovanni (nato nel 1380), padre dell'artista, che nel 1401 risulterebbe notaio e sposato a Jacopa, figlia d'un oste di Barberino in Mugello; i Cassai possedevano allora a Castel San Giovanni una casa in paese (affacciata sulla strada maggiore e tuttora identificata) e alcuni terreni; e Jacopa aveva portato una dote di cento fiorini. Mone, nonno di Masaccio, era ancora vivo e di ottantasei anni nel 1435.

1406. Muore, a soli ventisei anni, il padre di Masaccio; e in quell'anno stesso nasce un fratello dell'artista, Giovanni (cioè, gli viene dato il nome del padre scomparso) poi soprannominato lo Scheggia. Più tardi monna Jacopa si rimariterà a Tedesco del maestro Feo, un vecchio speziale sessantenne, pure di Castel San Giovanni, già vedovo due volte e con due figlie; una di queste, Caterina, sposerà un altro artista, Mariotto di Cristofano, anch'esso di Castel San Giovanni (nato nel 1393), che nel 1419 risulta già pittore a Firenze. Questo quasi cognato di Masaccio, che visse fino al 1457, è stato identificato per quanto riguarda la produzione [Cohn, "BA" 1958], dalla quale però non risultano né legami con il nostro pittore, né possibili ascendenti sulla formazione masaccesca.

1417. In agosto muore Tedesco di Feo. Poiché probabilmente già nel 1417 Masaccio si era stabilito a Firenze, forse il trasferimento è da porre in relazione proprio con la scomparsa del patrigno, che indusse monna Jacopa e i suoi figli a prendere decisioni sull'avvenire. Fi-

no allora l'infanzia e l'adolescenza dell'artista non devono essere state estremamente misere, sebbene ser Giovanni non avesse lasciato nessuna eredità: Masaccio e lo Scheggia potevano contare sulla madre risposata, nonché sulla famiglia paterna. Lo Scheggia attesta di essere rimasto in famiglia fino al 1423: "ne sen morì mio padre et io naqui allora et elli non aveva nulla, rimaritatossi mia madre et ella mi [al]levò tanto ch'io andai al soldo d'età a' anni 17 ..."; Giovanni fu dunque per qualche tempo soldato di ventura. D'altra parte nel 1421, fra i garzoni della bottega del pittore fiorentino Bicci di Lorenzo, si trova, insieme con Andrea di Giusto (poi aiuto di Masaccio), un Giovanni da San Giovanni, che è stato supposto potesse essere lo Scheggia. Ma questi si immatricolò come pittore soltanto nel 1430, e la sua stessa testimonianza escluderebbe che fino al 1423 avesse atteso, almeno stabilmente, all'arte.

1422. Il 7 gennaio (in stile fiorentino, ancora 1421), "Masus S. Johannis Simonis pictor populi S. Nicholai de Florentia" si iscrive all'Arte dei medici e speziali: Masaccio, insomma, si è fatto pittore autonomo a Firenze, dove abita nella parrocchia di San Niccolò Oltrarno. La perduta *Annunciazione* di Masaccio per tale chiesa non fu però condotta in questo momento (si veda *Catalogo*, n. 24). In seguito Masaccio si trasferì nella parrocchia di San Michele Visdomini (dove risulta già nel 1426).

Il 19 aprile viene consacrata la chiesa del Carmine a Firenze, con una cerimonia che Masaccio rievocherà nella perduta *Sagra* nel chiostro dello stesso Carmine (si veda *Catalogo*, n. 3). Non è però detto — sembra ovvio — che l'attuazione dell'affresco debba avere seguito immediatamente l'avvenimento, e potrebbe anche essere avvenuta qualche anno dopo.

Il trittico per San Giovenale di Cascia, prima opera accertata di Masaccio (si veda *Catalogo*, n. 1 A-C), reca la data del 23 aprile di quest'anno. Poiché la festa di San Giovenale cadeva il 3 maggio, questa probabilmente coincideva col compimento — a Firenze — del dipinto, che poi fu trasportato nella chiesetta del Valdarno in modo da comparirvi per la festività.

Il 6 ottobre, Masaccio paga due lire al camerario dell'Arte dei medici e speziali.

Altri avvenimenti artistici a Firenze, da tener presenti: sul principio del 1422 parte per Roma Arcangelo di Cola da Camerino, che era stato nella città toscana durante il 1420-21, e di cui il Salmi ha supposto un ascendente sulla formazione di Masaccio; nello stesso 1422 arriva a Firenze Gentile da Fabriano, trattenendosi fino al 1425.

1423. Giubileo a Roma: forse Masaccio vi si reca, come sembra asserire il Vasari.

Soltando di quest'anno sono la prima opera certa di Masolino (la *Madonna* nella Kunsthalle di Brema), e la sua iscrizione — a ben quarant'anni di età — all'Arte fiorentina dei medici e speziali.

1424. Masaccio si iscrive alla Compagnia di San Luca in Firenze.

1425. Il 1° settembre Masolino parte per l'Ungheria, da dove ritornerà nell'estate del 1427. È

probabile che la collaborazione con Masaccio si fosse iniziata al termine dell'anno precedente (dopo il compimento, in novembre, degli affreschi di Masolino in Santo Stefano a Empoli, ciclo in cui non esiste traccia di Masaccio). Pare che Masolino fosse di Panicale di Renacci (e non di Valdelsa, come per lo più si asserisce): quindi, conterraneo del 'compagno', e ciò potrebbe avere favorito il sodalizio; a proposito del quale — dati i soprannomi dei due, derivati dallo stesso nome, Tommaso — qualche autore è giunto a supporre rapporti 'particolari'.

Alla fine di novembre ha inizio, nella chiesa del Carmine a Pisa, la cappella del notaio ser Giuliano di Colino degli Scarsi da San Giusto, per cui Masaccio sarà incaricato della pala (si veda *Catalogo*, n. 10).

L'anno 1425 costituisce il termine *ante quem non* per la *Trinità* in Santa Maria Novella di Firenze (*Catalogo*, n. 21).

1426. Dipinge la pala per il Carmine di Pisa (si veda *1425*), per

80 fiorini. L'inizio del lavoro risale al 19 febbraio; il primo acconto, di 10 fiorini, è del 20 dello stesso mese; ne segue un altro di 15 fiorini, il 23 marzo. Altri 10 fiorini vengono riscossi il 24 luglio, "li quali di presente pagò a maestro Donatello marmoraio da Firenze" (un debito?); 25 fiorini (circa mezzo milione attuale), il 15 ottobre, "et promissomi non fare altro lavoro che prima sarà compiuto questo, et facto me n'à carta", garantiscono il fratello Giovanni (detto anche Vittorio) e lo scultore Leonardo Pardini da Pietrasanta. Seguono 3 lire il 9 novembre, "che li dié a uno sarto. che disse li a'a facto uno giubbarello"; 1 fiorino, presente ancora Donatello, il 18 dicembre, "che li dié a uno suo garsone quini presente"; mentre Andrea di Giusto, "suo garzone per sua commissione", ebbe 30 grossi il 24 dicembre. Infine, 16 fiorini e 15 soldi, a preciso saldo, furono pagati a Masaccio il 26 dicembre (l'artista aveva quindi fatto Natale a Pisa), "riserbandomi [il committente] ra-

Presunti autoritratti di Masaccio: (a sinistra) come san Giovanni, al seguito di san Pietro, nel Risanamento con l'ombra (n. 17 F), e come astante, all'estrema destra, nel San Pietro in cattedra (n. 17 G), affrescati nella cappella Brancacci di Firenze.

L'effigie di Masaccio premessa alla sua biografia nella seconda edizione delle Vite *di G. Vasari [1568]: i lineamenti sembrano ricavati, sia pure con libertà, da quelli del presunto autoritratto nel* Tributo Brancacci *(si veda qui a destra, in alto).*

MASACCIO DA S. GIOVANNI
PITTORE.

(A sinistra) Possibile autoritratto di Masaccio nel Tributo *della cappella Brancacci (n. 17 D). - (A destra) Supposta effigie di Masolino nel* Risanamento con l'ombra, *pure al Carmine fiorentino (n. 17 F).*

*Presunte effigi di Giovanni detto lo Scheggia, fratello minore di Masaccio: (a sinistra) nell'*Adorazione dei Magi di Berlino *(n. 10 J), e (a destra) nella* Distribuzione dei beni *affrescata nella cappella Brancacci di Firenze (n. 17 E).*

schriviamo la rendita de la vigna né chonfini perché no gli sappiamo, ne nonn'à nostra madre alchuna rendita della detta vigna né abita nella detta chasa".

1428. Masaccio si reca a Roma, dove muore improvvisamente (un anno dopo la scomparsa di Gentile da Fabriano). Di una sua attività romana, nuovamente con Masolino (il quale a Roma si sarebbe recato soltanto nel maggio 1428 [Procacci]) è testimonianza sicura il laterale del trittico per Santa Maria Maggiore, oggi a Londra (si veda *Catalogo*, n. 25), che alcuni vorrebbero attribuire però a un primo viaggio, nel 1423 o nel 1425.

Per una possibile attività, pure a Roma, nella chiesa di San Clemente, si veda nel *Catalogo*, n. 26.

Nel 'Libro del Billi' [primi del '500] si legge: "... Morse [Masaccio] in Roma, et dicesi di veneno, d'anni 26. Era assai amato da Filippo di ser Brunellescho, et insegnolli assai cose. Et quando intese detto Filippo la sua morte, dimostrò essergli grandemente molesta, et co' sui domestici usava spesso dire: 'Noi habbiamo fatto una gran perdita'". Del sospettato avvelenamento non parla però il Manetti, che pure era informato — si è visto — dallo Scheggia.

gione contra di lui che la taula mi debbia consegnare compiuto a loda di dicto maestro Antone" (quest'ultimo era il priore del Carmine, cui dunque spettava di approvare il dipinto). Il valore del fiorino, calcolato sulle 18.000-20.000 lire circa odierne [Procacci] (ma è da domandarsi se non vada portato almeno a 25.000 lire), comporta che il polittico fu pagato a Masaccio non meno d'un milione e mezzo di lire attuali, forse due milioni. Nel frattempo però l'artista poteva attendere anche ad altri lavori, ed è molto probabile che non si sia sempre trattenuto a Pisa (i documenti citati lasciano anzi supporre che durante la primavera e l'estate abbia tralasciato un poco la commissione); come non è nemmeno escluso che abbia potuto condurre anche alcune parti del polittico a Firenze stessa.

Ad aprile (?), "Maso e Giovanni di ser Giovanni di Mone Chassai in Firenze" sono tassati per soldi 6 all'estimo di Castel San Giovanni.

1427. Del 29 luglio è la denuncia autografa di Masaccio al Catasto, per conto proprio e del fratello: "Siamo in famiglia noi due chon nostra madre, la quale è d'età d'anni quarantacinque; io Tommaso sopradetto sono d'età d'anni venticinque et Giovanni mio fratello sopradet-

to è d'età d'anni venti. Stiamo in una casa d'Andrea Macigni [la casa era in via dei Servi], della quale paghiamo l'anno di pigione fiorini dieci ... Tengo io Tommaso parte d'una bottega della Badia di Firenze [nell'attuale piazza San Firenze, presso il Bargello], della quale pago l'anno fiorini due ...". Segue un elenco di debiti per un totale di 44 fiorini circa (1.100.000 lire attuali?): col pittore Niccolò di ser Lapo; col battiloro Piero; con altri creditori, fra cui due panettieri ("per pegni [che] v'abbiamo posti più volte, di fiorini quattro"); con Andrea di Giusto, "il quale stette cho[n] meco Tomaso ... per resto di suo salare, fiorini sei". Inoltre: "Nostra madre de' avere fiorini ciento per la sua dota ...", 40 dalla famiglia del padre di Masaccio e 60 dagli eredi di Tedesco (che non volevano però restituire la dote). La madre richiedeva pure inutilmente da questi ultimi "il frutto d'una vignia posta nella Piscina nella corte di Chastel S. Giovanni e ll'abitazione d'una chasa posta in detto Chastel S. Giovanni per un lasci[t]o fatto dal sopradetto Tedesco; non ne

Denuncia all'Ufficio del Catasto (prima parte), scritta da Masaccio il 29 luglio 1427 (Firenze, Archivio di Stato).

84

Catalogo delle opere

Elenco cronologico e iconografico
di tutti i dipinti
di Masaccio
o a lui attribuiti

Masaccio venne probabilmente a Firenze già nel 1417, nella condizione di un oscuro sedicenne di provincia che tentava la carriera artistica. La prima opera certa — il trittico per San Giovenale (n. 1 A-C) — risale però soltanto al 1422, anno al cui inizio egli si era immatricolato come pittore autonomo. Chi esamini senza pregiudiziali il dipinto, e consideri l'età dell'esordiente (esattamente venti anni e quattro mesi quando l'opera fu finita), dovrà concludere che la pittura è, né più né meno, quella che verosimilmente ci si poteva attendere a quel punto. Già caratterizzata — cioè — in modo inequivocabile per quello che Masaccio sarà; ma ancora con tratti sperimentali e acerbi, d'altronde sorpassati nel procedere del lavoro (dal laterale di sinistra, a quello di destra, all'elemento centrale); e tale da rivelare, anche, le basi culturali su cui il meditabondo giovane valdarnese andava fondandosi. Esse basi del resto si restringono (come i "pochissimi libri, ma questi de' migliori e di prima classe" che teneva Galileo) a tre nomi: Giotto, Brunelleschi, Donatello. È tuttavia significativo che anche i due santi del laterale a sinistra — i più arcaico, giottesco, e quasi incredibile come Masaccio, se la identica fattura non li unificasse innegabilmente al resto — non permettono aganci sicuri nella pittura fiorentina circostante. Si nota, nella pala, un generico aggiornamento; ma senza che nessuna corrente, né quella tardogotica né quella più fresca, di Gotico internazionale importato a Firenze, abbiano posto alcuna ipoteca di stilemi sul nuovo maestro. Perciò individuare la bottega dove — necessariamente — Masaccio si deve essere formato, riesce arduo: quella fiorente di Bicci di Lorenzo, abbastanza aperto alle novità se quella fiorente di Bicci di può essere un'ipotesi tra le meno inverosimili, pur senza indizi formali veramente sufficienti. Ciò che invece il trittico di San Giovenale ha rivelato sicuramente, è la completa divergenza tra il Masaccio del 1422 e il Masolino che si immatricola nel 1423 e si presenta alla stessa data con la *Madonna* di Brema (pervasa da un affettuoso senso naturalistico, ma di una opposta mitezza stilistica). L'idea, così a lungo invalsa, d'un tirocinio presso Masolino ne risulta vanificata,

almeno se si ammette che un discepolato lasci una pur minima traccia e comporti un filo di discendenza.

Nel 1422 dunque Masaccio esordisce, anche se non vistosamente, già ben isolato dalla scuola pittorica locale; ma il recupero, nel giottismo, di una consistenza più severa e oggettiva, trapassa subito — nel trittico — a ben più pregnanti novità: nel nitido ordine spaziale coordinato e nella vitale plasticità naturalistica: rispettivamente di Brunelleschi e Donatello, insomma, dei quali è chiaro che già allora Masaccio era intimo, già coinvolto nella loro grande problematica: la nuova scienza prospettica, la riesumazione radicale dell'Antico; ambedue intese, però, come nuova presa di coscienza, metodica, verso la realtà oggettiva. A San Giovenale Masaccio riesce già a usare magistralmente lo scorcio per realizzare un putto finalmente vivo, pesante; mentre segna con le nuove lettere umanistiche le iscrizioni.

Non si può escludere che un giorno qualche scoperta permetta di risalire all'indietro del trittico di San Giovenale. Tuttavia, poiché il laterale di sinistra si trova ancora quasi a un punto di 'preistoria' indeterminata rispetto al pronunciarsi della chiara storia masaccesca, non sarà forse facile individuare, almeno soltanto per via stilistica, il primissimo Masaccio tra il 1417 e il '22. Proseguendo invece dopo il trittico, la tappa successiva è nella *Sant'Anna Metterza* per Sant'Ambrogio, ora agli Uffizi (n. 2), in collaborazione con Masolino. Se essa va datata al 1424, resta il problema dell'intervallo rispetto al trittico di San Giovenale, in cui non si può escludere un viaggio a Roma, nel 1423 (quando ci fu, e non nel 1425 — come si credeva —, il Giubileo), che potrebbe avere condizionato, con la visione di antichi bassorilievi 'storici', la processione civile nella perduta *Sagra* (n. 3). Certo, la nuova Madonna, rispetto a quella di San Giovenale, si serra in una ravvicinata emergenza plastica, cui corrisponde una sicurezza più orgogliosa e volitiva; e il Putto — ripreso, come è stato dimostrato, da esemplari antichi — benedice con gesto di larga solennità, quasi consolare. Non è escluso d'altra parte che, assiduo discepolo del Brunelleschi, Masaccio avesse con-

dotto frattanto esercitazioni prospettiche come quella, complicata ma ancora impacciata, che riscontriamo nella *Liberazione di un indemoniato* Johnson (n. 27), probabilmente eseguita da Andrea di Giusto (replica, più tarda di qualche anno, da un originale masaccesco?). Frattanto la *Sagra* presuppone un Masaccio provatosi nella ritrattistica, di cui purtroppo però è da dubitare che siano pervenuti esemplari diretti.

La società con Masolino (anche lui valdarnese, pare) si strinse forse semplicemente soprattutto perché questi, progettando di partire per l'Ungheria, aveva bisogno di un collaboratore, sia per il dipinto di Sant'Ambrogio sia per proseguire la cappella del Carmine (l'Albertini nominerà Masaccio anche per il trittico di Santa Maria Maggiore, pure a Firenze, ma questo venne probabilmente compiuto dal solo Masolino): così, Masolino poteva consegnare in tempo i lavori ai committenti, riscuotendo gli importi che gli occorrevano per il viaggio, e non incorrendo in penali di inadempienza. Ma, se Masaccio accettò questo sodalizio, magari dopo essersi consultato con Brunelleschi e Donatello, fu forse perché — nonostante la sostanziale diversità — Masolino era comunque il pittore fiorentino meno distante da lui: oggettualmente plastico, pur se morbido e fuso; naturalistico, anche se, per Masaccio, naturalismo significava stringente impegno costruttivo e poi sintesi perentoria; e per Masolino invece era una più dolce e vaga intuizione, come mattinale e primaverile, da rendere con "naturalezza" un po' "naïf" e senza urto con l'ambiente. Masolino infatti era di formazione ghibertiana (e ormai quarantenne), Masaccio brunelleschiano e giovanilmente contestatario. A Empoli, dove Masolino affresca nel 1424, non vi è traccia alcuna di partecipazione di Masaccio; ma la *Pietà* in quella Collegiata è stilisticamente quasi già sulle posizioni di Masolino nella tavola di Sant'Ambrogio (se ne confrontino la Madonna e il san Giovanni, con la sant'Anna e gli angeli masolineschi). L'incontro con Masaccio comporterà però subito per Masolino un rinforzamento plastico e un tentativo di più intensa, varia e serrata animazione psicologica: la sua *Predica di san Pietro* al Carmine allude

già a una conoscenza della *Sagra* (si vedano le tre teste a sinistra e il gruppo di carmelitani a destra), e il santo vi ha un cipiglio oratorio che comincia a destare i suoi ascoltatori, così come l'esempio e il colloquio masaccesco stavano destando l'incantato Masolino. I due dovettero stringere nell'autunno del 1424, dopo che Masolino finì a Empoli, il che non esclude, naturalmente, che si conoscessero e stimassero da prima (anche Masolino era a suo modo un progressista). Forse la loro collaborazione nel secondo registro della cappella Brancacci (nel 1425, entro l'agosto, al cui scadere Masolino partì) cominciò con le 'storie' di Adamo ed Eva (n. 17 A) (Masolino, qui, appare meno masaccesco); poi con la citata *Predica*, cui si contrappose il *Battesimo dei neofiti* di Masaccio (n. 17 B); finché si mise mano ai due affreschi maggiori, e Masaccio dette vita con il proprio inserto di vivente paesaggio urbano al fondo della *Resurrezione di Tabita* (n. 17 C), mentre Masolino sigillò con la dolce testa di Cristo il *Tributo* (n. 17 D): un certo affiatamento era stato raggiunto. I due, come a prova reciproca e a saggio per i committenti, avevano condotto anche un *San Paolo* (n. 16) (Masaccio) e un *San Pietro* (Masolino), oggi ambedue perduti, nella parete di fronte alla cappella Brancacci. Lo studio del nudo — inteso però non descrittivamente, analiticamente e staticamente, ma come sintesi espressiva e dinamica — è preminente nelle due prime 'storie' di Masaccio. Non si può escludere un contatto con Jacopo della Quercia (potrebbe provarlo la *Cacciata* nella Fonte Gaia, ante 1419), ma il nudo masaccesco non ha più tensione gotica, e sembra ispirarsi a un diretto classicismo di 'pezzi' antichi. Quali siano stati precisamente codesti 'pezzi' (forse provinciali) non è dato finora di indicare, e del resto Masaccio assorbe profondamente e riesprime con piena originalità e padronanza il tema del nudo. Non sappiamo d'altra parte se nella perduta *Coppia di nudi* Rucellai (n. 12) — essendo egli più analitico dipingendo su tavola che nell'affresco — questa nudità, sia maschile sia femminile, non fosse più naturalisticamente dettagliata — analogamente ai famosi *Adamo* ed *Eva* di Van Eyck a Gand ('Classici dell'Arte - 17',

n. 9 I² e O²) — con un significato profano che egli non poté immettere nella cappella Brancacci. Ma il procedimento di Masaccio è sempre quello che unisce l'approfondimento di grandi problemi a un senso sintetico, verace e vitale, e a un profondo impegno di espressione psicologica e morale; senza sostare sui particolari raggiungimenti, esibirli e compiacersene, e invece subito assorbendoli in un sistema unitario e continuamente dinamico di esperienze. Dopo i cinque mirabili nudi nella *Cacciata* (n. 17 A) e nel *Battesimo dei neofiti* (n. 17 B), il tema è lasciato, ed ecco, invece che un brano qualsiasi di Firenze, un campione di veritiera, comune realtà urbanistica, costituisce la nuova soluzione prospettica per la *Resurrezione di Tabita* di Masolino (vedi n. 17 C), così che la nuova vicenda se ne attualizza. Nel *Tributo*, si riprendono le fila di paesaggi della *Sagra*, ma ora per un solenne schema circolare di figure — sintetico, però liberissimamente, di lontane tradizioni iconologiche e di idealità geometrico-architettoniche presenti — che s'impianta unificatore su uno spazio reso concreto dai caseggiati di destra, e finalmente vasto (ciò che non era nel *Battesimo dei neofiti*) fino alla catena di poderose montagne, secondo direttrici prospettiche di profondità scandite da tronchi d'alberi.

Partito Masolino a settembre del 1425, a febbraio del 1426 Masaccio comincerà il polittico per Pisa (n. 10 A-K). Qui il suo impegno sembra trasferirsi in ulteriori accertamenti. Il trono della Madonna si fa suggeritore di uno spazio cubico e rigorosamente architettonico, diviene complesso nella sua struttura umanistica; la figura è più movimentata e sontuosa formalmente (si veda il panneggio), più sciolta anche nell'inserimento spaziale rispetto alla tavola di Sant'Ambrogio; il gioco delle incidenze luminose e ombrose, corrispondenti a quelle della plastica oggettuale, più puntualistico. Il significato sembra quello di assicurare alla piena verosimiglianza già conquistata per la figurazione una disponibilità ancora maggiore all'analisi, se si vuole davvero corrispondere alla realtà, immensa quanto sempre divisibile, alla naturalezza dalle gamme infinite. La psicologia della Madonna si fa sfumata, quasi in direzione preleonardesca; il Putto succhia goloso l'uva, ma ci guarda con occhi infantili e misteriosi, mentre quello di Sant'Ambrogio era troppo compreso dal suo ruolo di benedicente. Nell'*Epifania* (n. 10 J) della predella il pennello rende quasi miniaturisticamente la sella d'avorio e i finimenti di un bel cavallo bianco. Così Masaccio si avvierebbe quasi verso un naturalismo integrale come quello di un Van Eyck, se il suo senso architettonico non significasse 'taglio' entro lo spazio fisico, se il suo scrupolo morale non significasse sobrietà (e questa resiste in tutto il polittico), prevalere dell'essenza sulla superficiale fenomenologia fisica. Perciò il fondo d'oro, o la chiusura degli sfondi con brulli rilievi come nell'*Epifania*, servono a Masaccio per rendere più solenni nell'isolamento i propri schemi, e trattenersi sulla tematica umana per lui dominante, evitando il disperdimento. "Io mi domando a che giova il conoscere la natura delle belve, degli uccelli e dei pesci e dei serpenti, ed ignorare o non curar di sapere la natura dell'uomo, perché siamo nati, donde veniamo, dove andiamo", aveva scritto in polemica antiaverroista Petrarca; e, analogamente, Masaccio reagiva al lussuosissimo sciorinamento di belle cose, animali e fiori, broccati, che Gentile da Fabriano — quel Gentile di cui egli era, e forse intendeva coscientemente essere l'opposto — aveva sfoggiato di fresco a Firenze con l'*Adorazione dei Magi* di Santa Trinita (1423) e il polittico Quaratesi (1425). Ma il senso — analitico e serrato, come abbiamo visto — dello spazio, coinvolge quello del tempo: quest'ultimo, già ben sentito da Masaccio come esemplifica la successione di azioni nel *Tributo*, ora viene scandito lentamente dai liuti dei due angeli; o, nell'*Epifania*, dal procedere a successivi atti di adorazione dei Magi. È tempo lento, prezioso perché non vanificato dalla trascendenza ma reso completamente valido dall'immanenza, dove ogni azione è responsabile e, in se stessa e in quel punto, importante. Un tempo divisibile al pari dello spazio e della luce (gli angeli liutisti, come fendono con la posa obliqua lo spazio, così ritmano la durata con le note); un tempo che così sentito è 'storia', la quale è appunto tempo reso significativo, misurabile dall'azione. Nella predella, san Pietro, terribilmente a testa in giù, attende eroico la ribattuta dei chiodi che lo crocifiggono; il Battista aspetta il colpo della spada dal carnefice che sta scattando sotto il gesto imperioso del comandante; san Giuliano prima si sfrena nell'eccidio e poi si strazia dal rimorso; san Niccolò getta i pomi d'oro a miracolare i poveri dormienti. Nella *Crocifissione* (n. 10 B), Cristo spira, ma l'urlo della Maddalena dalla bocca invisibile, reso dal gesto e dal colore fiammante, echeggia potente e, quasi eterno per il circolo delle quattro figure, riempie il fondo d'oro. Tutte le azioni figurate nel polittico hanno qualcosa di decisivo, di culminante. Però, mentre dipingeva il polittico, Masaccio deve avere atteso anche ad altre cose; come la piccola *Madonna* di Palazzo Vecchio (n. 11), che ha notevoli probabilità di esser sua (anche se è poi fra le sue, l'opera più addolcita, masoliniana); come forse il perduto *Sant'Ivo* di Badia (n. 14), di sottinsù come le figure nel secondo ordine del polittico pisano; o l'altarolo di Altenburg (n. 15) (probabilmente del 1426 o '27) reso troppo scabro dal pennello dell'aiuto Andrea di Giusto.

Nulla vieta di supporre che, date anche altre circostanze, il lavoro al Carmine restasse sospeso nel 1426, fors'anche per un'indecisione dei Brancacci nel lasciare al solo Masaccio la prosecuzione. C'è in ogni modo uno stacco stilistico fra l'ordine superiore e l'inferiore (sia quest'ultimo del 1426 o del '27), dove le due scene a lato della finestra ('storia' di Anania e *San Pietro che risana con l'ombra* [n. 17 E e F]) si appoggiano su supporti di ambientazione ben più mossa da piani; mentre i figuranti si dispongono con più naturale libertà, la figura di san Pietro diviene meno massiccia; lo sbalzo chiaroscurale unito alla tensione lineare è meno violento, la pittoricità ben più sciolta. Nella 'storia' di Teofilo (n. 17 G) il naturalismo popolare ritorna però a un tono umanisticamente più sostenuto, e gli adoranti di san Pietro in cattedra si accostano a quelli della *Trinità* in Santa Maria Novella (n.21): qui è l'anello della catena, mentre regredire la *Trinità* a prima del ciclo del Carmine, anche a prima del polittico di Pisa, sembra illogico. La *Trinità* segna il culmine di un nuovo accostamento al Brunelleschi da parte di Masaccio, che, forse dopo la 'storia' di Teofilo nella cappella Brancacci, coi suoi culti edifici inoltrantisi in profondità, si era sviluppato nell'*Annunciazione* di San Niccolò (n. 24) (non anteriore al 1427), opera perduta ma di cui ancora le parole vasariane tramandano lo splendore dei colonnati prospettici impeccabili, sfumati dall'abbigliamento luminoso nella prospettiva aerea; e si era sviluppato anche nel desco da parto di Berlino (n. 22 A-B), col chiostro brunelleschiano e le figurine che ricordano elementi del *San Pietro che risana con l'ombra* e della 'storia' di Anania. Nella *Trinità* la sintesi e l'interrelazione fra architettura umanistica e figura umana è completa, l'equivalenza del figurato al reale (e di architettura, scultura, pittura come 'disegno' intercambiabile) è assoluta. La strenua applicazione scientifica (prospettiva disegnata dallo stesso Brunelleschi; uso del 'velo' per le figure) conduce a una profonda calma contemplativa, simbolizzata nel gesto additante della Vergine. Qui Masaccio non è quasi da meno in oggettività di Van Eyck, ma possiede in più di lui la dimensione culturale dell'Umanesimo, il senso di un altissimo ordine di idee, come alto è l'ordine gerarchico di figure e membrature architettoniche nel dipinto: sarà questo Masaccio a impressionare Leon Battista Alberti. Immaginarlo, dopo di ciò, intento a dipingere il *Battesimo dei neofiti* (n. 17 B), con l'energia anche elementare del santo, lo sfondo scoglioso ecc., è una conclusione che lasciamo a critici evidentemente dotati di un concetto diverso dello sviluppo, o a forzatori delle indicazioni di dati esterni.

Nella presente ricostruzione, comunque, Masaccio si congeda nel 1428 da Firenze con la pagina somma della *Trinità*. L'amico Masolino lo invitava a Roma (dove si era recato nel 1427 o nello stesso '28) con commissioni prestigiose dai Colonna, i familiari del papa, e del cardinale Branda Castiglione. Una certezza d'intervento nella *Crocifissione* di San Clemente (si veda al n. 26), anche nella sola sinopia, non esiste in via assoluta; ma nel laterale già di Santa Maria Maggiore a Roma (n. 25), anche se compiuto da altri, si riconferma come, mantenendo la sua sintetica fiera severità, Masaccio andasse sempre oltre. Il giro del cappello cardinalizio del san Girolamo è impeccabile come in un Piero della Francesca; la gamba sinistra del Battista è già quasi al punto di sapienza anatomica di un Pollaiolo. Se non fosse morto improvvisamente e avesse continuato, il suo esempio preciso e deciso avrebbe quasi certamente abbreviato tutto il tempo di sviluppo rinascimentale in Italia: anche se, col testo del Carmine, egli arrivò ugualmente a essere esemplare come, nei propri settori, Brunelleschi e Donatello. Ma Ruskin non aveva poi torto: nel senso che non era facile — per i continuatori — sostenere il peso e mantenere la coesione profonda di tutto quello che in Masaccio era stato unito e sostenuto, con naturalezza assolutamente sincera, da una personalità eccezionale; e si avranno prospettici, anatomici, analitici, plastici, virtuosistici, e via dicendo, ma senza più il suo tono, così classico: cioè duraturo, moderno, assolutamente umano.

Trittico di San Giovenale

Scoperto nella chiesa di San Giovenale a Cascia presso Reggello (Firenze), venne presentato alla Mostra di Arte sacra antica in Firenze nel 1961, e poi pubblicato distesamente [Berti, 1961 e 1962]. Si trova in restauro presso la Soprintendenza alle Gallerie di Firenze. Oltre ai nomi dei santi, sotto gli elementi laterali, la tavola centrale reca: "ANNO DO/MINI MCCCCXXII A DI VENTITRE D'AP[RILE]". Mentre il silenzio del Vasari e delle altre fonti è spiegabile dato che si tratta di opera giovanile e sperduta in una chiesetta appartata del Valdarno superiore (comunque il biografo aretino accenna a opere del primissimo Masaccio nella zona di San Giovanni Valdarno), le ragioni per l'ascrizione sono molteplici. Stilisticamente, intanto, la Madonna col Bambino si confronta non solo con le corrispondenti figure della *Sant'Anna* agli Uffizi (n. 2) — per la costruttività decisa e concretante delle immagini e la fiera intensità psicologica —, ma anche con la Madonna del polittico pisano (n. 10). In quest'ultima, pur tanto più matura, si noti il riscontro di soluzioni anche particolari: come lo schienale del trono non cuspidato e ugualmente bipartito; l'emergerne a metà della testa della Vergine con un trapasso spaziale; la collocazione — a creare una stratificazione in profondità — di una consimile coppia di angioletti in primo piano. Ugualmente è positivo il confronto fra i due energici santi Giovenale e Antonio, a destra, e i santini del polittico pisano (n. 10 D-F e H: si vedano in specie il san Giovenale e il sant'Agostino); nonché con il laterale del trittico romano di Santa Maria Maggiore (n. 25), dove la caratterizzazione del volto del san Girolamo risulta anticipata in quella del sant'Antonio a Reggello. Per ulteriori confronti anche più particolari, nel paragone tra il dipinto in esame e quello degli Uffizi, si scenda alla capigliatura bionda e arricciolata, identica nei due putti, inoltre ugualmente stempiati; o alla soluzione della mano destra della Vergine che sbuca dal manto, piegandosi sull'avambraccio; mentre il Putto — che qui risulta velato solo *in extremis*, per qualche scrupolo del parroco — è nudo, e appare di affine costruttività anatomica nell'impianto obliquo; e mangia golosamente l'uva sia nel presente dipinto sia in quello ora a Londra (n. 10 G). Ma quest'ultimo particolare iconografico — di allusione eucaristica — è ispirato da esemplari antichi con putti vendemmiatori [Berti, 1964] ed è assolutamente inedito fino a Masaccio; così come fino a Masaccio è inedita (almeno in Toscana) la completa nudità del Bambino; affermazione di 'naturalità', ma fatta in rapporto agli esemplari classici [cfr. Meiss, *French Painting in the Time of Jean de Berry*, 1967]. Datato 1422, il trittico di San Giovenale, qualora fosse di un pittore secondario, anticiperebbe, dunque, molto stranamente, tali due novità di Masaccio. Si aggiunga che nel complesso in argomento si riscontra il primo caso di precisa applicazione prospettica scientifica [Gioseffi, 1963]; e che è il primo dipinto d'Europa a recare nell'iscrizione non le lettere gotiche, bensì le capitali umanistiche o 'lettere antiche' (come, poi, né a caso, si trovano nella *Madonna* di Masolino a Brema, del 1423): prova, anche questa, di una precisa avanguardia culturale. Si noti infine che risultano [Baldinucci] anche relazioni della famiglia di Masaccio con Cascia.

Sottoposto ad analisi filologica, il trittico di San Giovenale rivela d'altra parte molto della precisa (e verosimile) situazione culturale di Masaccio nel 1422. Il pittore ventenne è già in stretto contatto sia con Brunelleschi sia con Donatello (dal *San Ludovico* bronzeo nell'Opera di Santa Croce, allora in lavorazione, è attinta per esempio la strana presa a forbice della mano sinistra sul pastorale, nella figura di san Giovenale; e lo 'stiacciato pittorico', specie nel laterale di destra, è chiaramente donatelliano). Ma il trittico mostra anche un Masaccio che studia, come provano alcuni particolari, nelle cappelle affrescate da Giotto in Santa Croce; e che, specie nel laterale di sinistra, ancora è impacciato arcaicisticamente (per taluni rapporti iconografici in generale fra Masaccio e la pittura del '300, si veda anche M. Boskovits ["ZK" 1966]). Niente invece accomuna il complesso in esame e le prime opere note di Masolino, partendo da quella suddetta di Brema. Questa è anzi una delle più importanti rivelazioni del trittico; che fa cadere la teoria del discepolato presso Masolino, e l'idea che nel *corpus* di quest'ultimo si potessero rinvenire le opere giovanili di Masaccio.

La paternità di Masaccio per il dipinto di Reggello è stata già accolta da molti studiosi [Sal-

1 A 1 B 1 C

mi; Meiss; Zeri; Argan; Brandi; Carli; Salvini; Bottari; Arcangeli; Oertel; Gioseffi; Shearman; Parronchi; Baldini], semmai con qualche dubbio di collaborazione per i laterali (eppure un'identità di fattura lega tutta l'opera). Negativi il Procacci e il Longhi ["P" 1965]. Il Bologna [1966], mentre propone di assegnare il complesso alla cerchia valdarnese di Masaccio, facendo i nomi, peraltro altamente improbabili, di Mariotto di Cristofano e dello Scheggia (allora appena sedicenne), riconosce comunque l'autografia di Masaccio stesso nella figura del Bambino e nella mano destra della Madonna. Il tentativo di circoscrivere la presenza del maestro, ripetendo una già famosa operazione del Longhi sulla Sant'Anna degli Uffizi (n. 2), si affida però a una distinzione qualitativa qui inoperabile (quasi che la testa della Madonna o la figura di san Giovenale fossero dammeno nei loro valori); e cerca in realtà di salvare — definendo "assai masaccizzante" ma non propriamente masaccesco tutto l'insieme — l'idea però piuttosto 'mitica' e ben discutibile del Masaccio senza un esordio professionale.

1 88×44 1422

A. SANTI BARTOLOMEO E BIAGIO.

Laterale di sinistra. I santi risultano inequivocabilmente designati dagli attributi tradizionali, oltre che dai nomi scritti sulla base della cornice. Si notano numerose piccole abrasioni e scoloriture.

1 108×65 1422

B. MADONNA COL BAMBINO IN TRONO E DUE ANGELI.

Elemento centrale. Guasti come nel laterale suddetto; particolarmente grave l'alterazione dell'azzurro nel manto.

1 88×44 1422

C. SANTI GIOVENALE E ANTONIO ABATE.

Laterale di destra. Danni come negli elementi suddetti, forse in grado minore.

2 175×103 *1424-25*

SANT'ANNA, LA MADONNA COL BAMBINO E CINQUE ANGELI (Sant'Anna metterza). Firenze, Uffizi.

(Il termine 'metterza' si riferisce all'iconografia di sant'Anna, 'messa terza' con la Vergine e il Bambino). Già nella chiesa fiorentina di Sant'Ambrogio, dove viene citata dal Vasari, però soltanto nella seconda edizione [1568]; passò poi nella Galleria dell'Accademia e, dal 1919, agli Uffizi. È dubbio se facesse parte di un trittico o fosse tavola indipendente. Le parole iniziali dell'Ave Maria sono iscritte sulla base del trono, in lettere umanistiche, scorciate là dove la predella aggetta; altra scritta, gotica, nell'aureola della Vergine, mentre in quella della sant'Anna è da leggere: "Sant'Anna è di Nostra Donna fast[igio]". Dal 1935 al 1954 sottoposta a un lungo restauro (documentato da una serie di fotografie di Vermehren): si trattò di rimuovere numerose ridipinture condotte a seguito dei danni d'un precedente intervento, ritenuto del '700, e di un finale, limitato 'accompagnamento' pittorico [Baldini, 1954]. Da notare peraltro che l'occhio dell'angelo reggicortina di destra deve essere stato ripreso in seguito, poiché i relativi pigmenti sono adagiati sopra le craquelure.

L'assegnazione del Vasari al solo Masaccio venne accolta a lungo [Cavalcaselle; Schmarsow; Berenson; Toesca; Venturi; Giglioli; Mesnil; Van Marle; Oertel; Pittaluga; Rossi], considerandosi la tavola come prova della supposta educazione del pittore sotto Masolino, sebbene già il Masselli [1832] avesse avuto qualche dubbio, il D'Ancona [1903] avesse tentato la distinzione di due diverse mani, e il Lindberg [1931] fosse giunto, attraverso una minuziosa indagine, a concludere che si tratta d'opera di collaborazione. Fondamentale fu l'esame del Longhi [1940] che attribuì a Masaccio soltanto la Madonna col Bambino e l'angelo reggicortina di destra; il resto, a Masolino. La distinzione è stata accolta quasi concordemente dalla critica successiva, da cui semmai è stata avanzata l'ipotesi che a Masaccio risalgano anche la sant'Anna [Salmi, 1947; Procacci, 1951; Salvini, 1952], nonché la testa dell'angelo al culmine, di scorcio [Ragghianti, 1949]. Ma, per la sant'Anna, di cui il Salvini aveva notato come indizio masaccesco la "mano esplorante la profondità del dipinto", si può fare riferimento alla mano, similmente protesa, del Cristo nella cuspide dell'Adorazione dei Magi di Gentile da Fabriano (1423) pure agli Uffizi, e quindi può essere mantenuta a Masolino; mentre Masaccio deve avere attinto dalla Madonna Quaratesi dello stesso Gentile (allora già in lavorazione) il particolare insolito del velo sulla testa della Vergine (non è probabile l'ipotesi opposta: che Gentile, cioè, maestro famoso e superbo, andasse ad attingere dall'ancora oscuro Masaccio); la Madonna in esame, anzi, potrebbe venire considerata quasi un'emulazione "per opposizione" di quel dipinto del fabrianese [Berti, 1964]: plastica a massa chiusa, sbalzata dalla luce concreta, contro — in Gentile — linea melodica e volume sfumato in un'atmosfera astratta; sostanzialità, contro alto decorativismo; popolare fierezza, ma profonda responsabilità morale, contro la mite aristocrazia sognante delle figure di Gentile; gesti decisi e stretti forti, contro mani scivoli ed esangui; infine, un Putto nudo, vitale e robusto, ma non bello, attinto da qualche esemplare antico come la figuretta etrusca di Bambino nei Musei Vaticani [Offner, 1959; Meiss, 1967], contro il principio lezioso e coperto di vesti d'oro del fabrianese. Masaccio, in conclusione, che si propone quale anti-Gentile.

Le datazioni avevano oscillato dal 1420 circa [Procacci], a verso il 1422-23 [Salmi], al 1423 [Lindberg; Pittaluga] fino al 1424 [Longhi]. Con il punto fermo portato dal trittico di San Giovenale (n. 1), non si può risalire a prima del 1423; ma più probabile appare il 1424, anzi forse una data tra il novembre 1424 (fine del lavoro di Masolino a Empoli, senza traccia di Masaccio) e il 1° settembre 1425 (partenza di Masolino per l'Ungheria): quando cioè Masolino, in previsione di abbandonare Firenze, dové sentire la necessità di associarsi un compagno per far fronte agli impegni presi. I riscontri possibili con i primi affreschi nella cappella Brancacci (per esempio, la testa del Bimbo e quella di un apostolo nel Tributo [n. 17 D]), la distanza dal trittico di San Giovenale, la considerazione anche del 'progresso' stilistico rivelato da Masolino nella propria parte, il parallelo con Gentile confermano tale cronologia. Viene a concordare con essa anche il Bologna [1966]; mentre il Parronchi, il quale pure si attiene al 1424, propone un riferimento a Nanni di Banco, che a nostro avviso è tutt'al più da scorgere nell'angelo reggicortina, dal confronto con i due analoghi nel rilievo della Porta della Mandorla nel duomo di Firenze. Pensa ugualmente al 1424 circa il Meiss; il Brandi [Corso universitario, Palermo 1961-62] considera la tavola in esame immediatamente successiva al trittico di San Giovenale, notando (nel Bambino e nelle mani della Madonna) "come uno snodo a canocchiale delle parti l'una dall'altra". Un sensibilissimo mutamento è però intervenuto, fra i due dipinti, nell'adozione del punto prospettico, che qui appare ribassato, stringendo in aggetto i volumi, i quali nello scorcio risultano come pressati verso l'esterno (si guardi la curvatura della predella del trono e lo slargamento del volto del Putto). Più denso è anche l'effetto luminoso-coloristico, con una forte tessitura chiaroscurale sotto la sorgente di luce da sinistra, che giunge fino a trascoloramenti accentuati, come nel velo della Madonna e nella veste verde dell'angelo, cangiante in rosso. Così, da una creazione attuata in gran parte ancora per via linearistica (trittico di San Giovenale), la forma trapassa su un blocco unitario assolutamente compatto; e tale coesione più intima trova un equivalente valore psicologico nella concretezza per certi lati quasi urtante e brutale delle figure, nella loro decisa e ravvicinata 'presenza' fisica, vitale e morale. Questo è già il Masaccio del Landino, che "solo si dete all'imitazione del vero et al rilievo delle figure" (coincidenza, cioè, di una verità 'naturale' con un plasticismo davvero tattile, anche se illusivo); o, come dirà il Vasari [1550], "le cose fatte innanzi a lui erano veramente dipinte et dipinture; ove le sue ... molto più si dimostrano vive e vere che contraffatte".

2 [Tav. I-VI]

87

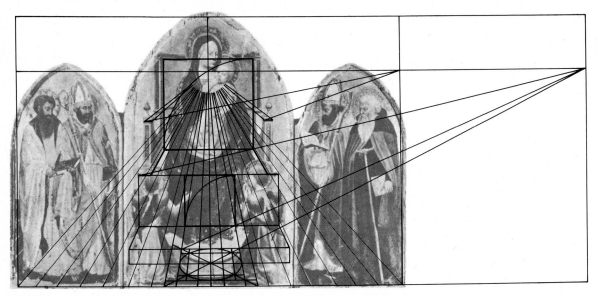

Analisi prospettica del trittico di San Giovenale (n. 1), dovuta a D. Gioseffi [da Prospettiva, in "Enciclopedia universale dell'arte", XI]. Da notare la scelta della linea dell'orizzonte, assai più alta che nel dipinto di cui al n. 2.

LA SAGRA. Già a Firenze, Chiesa del Carmine.

In chiaroscuro a terretta verde. Citata con gran lode dal supposto Manetti e dalle altre fonti prevasariane, poi dalle due edizioni delle *Vite* del Vasari. Dipinta non nel lato del chiostro adiacente alla chiesa, ma — secondo il Procacci [1932 e 1933-34] — sulla seguente porta di cantonata, del lato posto di fronte alla piazza. Andò distrutta in un rifacimento architettonico tra il 1598-1600 (e non nel 1612). Queste le sconsolanti costatazioni moderne, sebbene il Cinelli [1677] asserisca che, "per riquadrare il primo Chiostro, gli è stata alzata davanti una parete senza guastarlo". Dalle fonti letterarie sappiamo che il dipinto, raffigurando la consacrazione della chiesa, avvenuta il 19 aprile 1422, "rappresenta[va] la piazza del Carmino, con molte figure" [Manetti], cioè: "cittadini in mantello e in cappuccio, che vanno dietro a la processione" (fra cui Brunelleschi "in zoccoli", Donatello, Masolino, il Brancacci, l'Uzzano, Giovanni di Bicci Medici, B. Valori, L. Ridolfi), "et non solo vi ritrasse i gentilhuomini sopradetti di naturale, ma anco la porta del convento et il portinaio con le chiavi in mano"; si aggiunge, nella descrizione vasariana, che erano "a cinque et sei per fila ... diminuendo ... secondo la veduta dell'occhio ... [e] non tutti d'una misura, ma con una certa osservanza, che distingue quelli che sono piccoli et grossi da i grandi et sottili ...". Sono state finora pubblicate sei copie a disegno, purtroppo soltanto parziali, che confermano e precisano le testimonianze suddette. Una, nel Gabinetto degli Uffizi, spetta a fiorentino del '500 inoltrato (il Boscoli?); una seconda [cfr. Berti - Toesca, 1945] di proprietà privata, indirizzabile verso il Bachiacca o il Puligo; una terza, nel Museum and Art Gallery di Folkestone: tutte presentano tre file procedenti da sinistra verso destra, e dinanzi a esse, altre figure, alcune delle quali vòlte in senso opposto. Un quarto disegno, in proprietà di Ugo Procacci a Firenze [cfr. Berti, 1966], del tardo '500, presenta due sole file, più un personaggio della terza. Nel disegno di Folkestone, in alto e per altro verso, sono inoltre due gruppi di figure stanti, vòlte invece da destra a sinistra, uno dei quali — di quattro persone — appare anche in un quinto disegno, di Michelangelo, all'Albertina di Vienna, e in un sesto, della Casa Buonarroti di Firenze, attribuito ad Antonio Mini, mentre l'altro gruppo — di sei figure — risulta copiato da un affresco del Ghirlandaio in Santa Trinita a Firenze [Chiarini, 1962], ed estraneo alla *Sagra*. La configurazione completa del dipinto (fondo della piazza e del convento, totalità delle figure) resta purtroppo ipotetica, e scarsamente soccorrono riferimenti come quello alla *Sagra di Sant'Egidio* di Bicci di Lorenzo (Firenze, Museo di S. Maria N.), altrimenti congestionata di figure ed enucleata sul momento culminante della cerimonia, 'motivi' ai quali non accennano per nulla le descrizioni dell'opera masaccesca; così come non accennano all'impianto prospettico-architettonico. Insom-

Derivazioni dalla Sagra (n. 3). (In alto, da sinistra) Copie parziali a disegno: di fiorentino della seconda metà del '500 (Firenze, Uffizi); di fiorentino della prima metà dello stesso secolo (ubicazione ignota); di Michelangelo (Vienna, Albertina). - (Qui sopra, id.) Al-
tre: di fiorentino della fine del sec. XVI (alcune figure derivano dal Ghirlandaio; Folkestone, Museum and Art Gallery); di ignoto dello stesso periodo (Firenze, Collezione Procacci); attribuita ad A. Mini (Firenze, Casa Buonarroti).

ma, nel dipinto di Masaccio doveva prevalere la processione di cittadini fiorentini; e, dopo il folto gruppo procedente da sinistra, testimoniato dai fogli suddetti, forse si vedeva, in un punto centrale, il corteo entrare in profondità, infilando poi la porta del Carmine — particolare questo che, per la veduta di spalle, non interessò i copisti —, mentre sulla destra era il gruppo di quattro figure stanti riprese negli altri disegni (in quello di Michelangelo appare anche un frate con le chiavi alla cintola, dando a pensare che, sul lato di destra, potesse essere figurata anche la porta del convento). Quanto ai personaggi, è ipotesi completamente arrischiata ma da non tacere quella che, proprio nelle prime file, partendo da sinistra, comparissero Brunelleschi (il profilo abbastanza simile all'iconografia nota dell'architetto, primo a sinistra nel disegno Procacci) e, dopo la seguente figura, il duo Masaccio-Masolino (entrambi ri-

volti allo spettatore, il primo alto e il secondo basso; però Masolino qui non avrebbe avuto baffi e barba).

La cronologia della *Sagra* va dedotta, a nostro avviso, dagli indizi della sua maturità stilistica, più che da una presunta prossimità alla cerimonia avvenuta nel 1422, cui la riferiscono alcuni, come il Procacci, mentre il Salmi ritarda al 1425 circa. Perciò non crediamo che essa possa venire anticipata a prima del 1424 e, forse, al lavoro già iniziato da Masaccio nella cappella Brancacci: contemporaneità, del resto, cui allude anche il Vasari. Pure il Parronchi [1966] la situa verso il 1425.

Come attestano anche le copie pervenute, l'affresco della *Sagra* dovette produrre una fortissima impressione. La pittura diveniva precisa testimonianza storica di un fatto contemporaneo; mentre la prospettiva brunelleschiana realizzava una nuova naturalità di spazio e, soprattutto, di concorso (o pro-

spettiva) di figure, ciascuna però potentemente individualizzata sino all'evidenza ritrattistica. Di contro a una precedente coralità medievale, Masaccio esemplificava una 'socialità' civica di personaggi differenziati e pienamente responsabili, secondo il nuovo ideale umanistico. Non sembra più da escludere che la soluzione processionale del dipinto sia stata ispirata da qualche bassorilievo dell'età classica, come quelli dell'Ara Pacis, vista da Masaccio nell'ipotetico viaggio a Roma per il Giubileo del 1423. È invece appena da rammentare che i due ritratti della Kunsthaus di Zurigo, supposti da Berenson [fino al 1963] frammenti autografi della *Sagra*, raffigurano invece Piero e Giovanni de' Medici [Pudelko, 1936] e vanno probabilmente confermati ad Andrea del Castagno verso il 1450 [Berti, "AC" 1963].

RITRATTO DI GIOVANE. Washington, National Gallery (Mellon).

Nel 1843 si trovava nella collezione Artaud de Montor a Parigi, ormai con l'attribuzione a Masaccio [Catalogo, N. 115], mutata poi [Schmarsow, 1900] in quella a Masolino o Paolo Uccello. Riemerso nel 1936 in collezione privata, sempre a Parigi, passò ai Duveen di New York, e quindi (1937) nella collezione Mellon. Soltanto nella seconda edizione della sua monografia [1948] veniva accolto come autografo dal Salmi, datandolo al 1424 circa, prima della *Sagra* (n. 3); mentre il catalogo della National Gallery del 1942 ritardava al 1425 circa; pure come Masaccio, benché con interrogativo, lo accoglie l'ultima edizione del Berenson [1963]. Invece per Pope-Hennessy [1950] si tratta d'un fiorentino ignoto, né lo accettavano come opera

del maestro il Procacci [1951] e il Berti [1964]. Hatfield [1965] lo ha attribuito a Domenico di Bartolo. Viene riaccolto invece dal Parronchi [1966] come unico esemplare superstite della ritrattistica masaccesca, la cui "verità speculare" era pure una conseguenza del metodo prospettico brunelleschiano, basato sulle leggi di riflessione nello specchio. Ma l'autografia rimane da escludere per la qualità generale, più gracile che non appaia di solito in Masaccio, nonché per certa minuzia descrittiva (non solo nel collo di pelliccia maculata, ma nella piccola serpentina del colletto bianco dietro il collo, ecc.) e l'andare troppo addolcito del contorno. Si confrontino, ai fini dell'esclusione, i due ben più decisi ritratti nel *Battesimo dei neofiti* (n. 17 B), o quelli nell'*Adorazione dei Magi* a Berlino (n. 10 J).

RITRATTO DI GIOVANE. Boston, Isabella Stewart Gardner Museum.

Il riferimento a Masaccio risale al Berenson (ma, nell'ultima edizione degli Indici [1963], con le limitazioni della cosa restaurata e di un punto interrogativo), e venne generalmente accolto, tranne dubbi in Langton Douglas, Giglioli, Mesnil; e opinione contraria del Lipman. Il Salmi [1948] datava l'opera 1425 circa, al momento della *Sagra* (n. 3). Successivamente il Procacci [1951] si asteneva da un preciso riconoscimento; e il Ragghianti [1952] la attribuiva al giovane Piero della Francesca allorché studiava Masaccio, tesi questa di recente ripresa, indipendentemente, da Hatfield [1965]; mentre Laclotte [1956] seguitava a considerarla un sicuro Masaccio, e non si pronunziava il Baldini [1958]. Il Berti [1964], pubblicandone la radiografia, lo

Bicci di Lorenzo, Sagra di Sant'Egidio (Firenze, Museo di Santa Maria Nuova), talora messa in rapporto iconografico col dipinto di cui al n. 3.

escludeva, indicando invece il collegamento con il noto ritratto di Chambéry (n. 6) attribuito in genere a Paolo Uccello; l'esclusione trova concordi Parronchi [1966] e Bologna [1966].

6 ▦ ✪ 47×36 ▤ ⁝

RITRATTO DI GIOVANE. Chambéry, Musée Benoît-Molin.

Proviene per dono (1850) dalla collezione Gariod. Reca su un listello di base la scritta: "EL FIN FA TUTTO", singolare in Italia a quel tempo (deriva infatti dai fiamminghi), e giudicata da Lipman [1936] un'aggiunta posteriore. L'attribuzione generalmente seguita è quella del Longhi [1927], a Paolo Uccello (e, così, per Van Marle, L. Venturi, Pudelko, Salmi, Boeck, Pittaluga, Pope-Hennessy, Micheletti, Laclotte, Sindona); per Hatfield [1965], invece, è semplicemente di scuola toscana; per Meiss [1956], copia quattrocentesca da Masaccio. Tuttavia Berenson [1932 e 1963] lo accostava dubitativamente a Masaccio, e a un suo seguace; autografo anche per Lipman, ma riferendolo al 1430-35: datazione che, convalidata dal timbro della scritta, è sufficiente a escludere il maestro. Comunque la tipologia, comune con i ritratti di Washington e di Boston (n. 4 e 5) nella disposizione del busto di profilo e nel copricapo a turbante, risale evidentemente a quelli nella *Sagra* (n. 3), dei quali il Vasari [1568] attesta che in casa Corsi esisteva una serie di repliche (per lui autografe, ma potrebbero essere state invece semplici copie). Dalla notizia vasariana si desume in ogni modo il processo piuttosto semplice con cui poté venire estratto, dal contesto della *Sagra*, appunto, il nuovo tipo di ritratto virile fiorentino, che proseguì nei due *Olivieri* attribuiti a Domenico Veneziano, nel famoso disegno 28 E degli Uffizi (di Paolo Uccello, ma da alcuni assegnato a Masaccio) ecc. Da notare, semmai, che in codesti ritratti è preferito il profilo di sinistra — cioè, nel senso contrario di quello prevalente nella *Sagra*—; ma ciò è da attribuirsi probabilmente a una maggiore naturalezza di tale presentazione (così come si legge da sinistra verso destra). D'altra parte, di solito Masaccio illuminava (anche nella *Sagra*) da sinistra verso destra, e anche ciò rendeva preferibile voltare verso la sorgente di luce i ritratti, evitando ombre sui visi e sul davanti dei corpi, quali dovevano verificarsi nella *Sagra*, e che non si addicevano a effigi isolate.

7 ▦ ✪ diam. 10,5 ▢ ⁝ *1425-26*

L'ETERNO BENEDICENTE. Londra, National Gallery.

Acquistato (1908 c.) presso C. Ricketts e C. Shannon. Fu attribuito a Masaccio quale supposto vertice del polittico di Pisa (n. 10) [Phillips, "BM" 1919; Berenson, 1932]; da altri invece venne respinto [Toesca, "EI" XXII; Salmi, 1948 (giudicandolo di imitatore di Masaccio)]; mentre Longhi ["CA" 1940] lo crede addirittura veneziano, verso il 1450-65. Nel polittico suddetto l'*Eterno* apparirebbe alquanto pleonastico, ma il riferimento alla bottega di Masaccio è indubbio. Davies [Catalogo, 1961] si limita a giudicarlo fiorentino.

4

7

8

8 ▦ ✪ 105×53,6 ▢ ⁝ 1425-27?

MADONNA DELL'UMILTÀ. Washington, National Gallery (Mellon).

Da una raccolta di Budapest passò alla casa Duveen di Parigi; esposta nel 1935 alla Mostra d'arte italiana nella stessa capitale francese; dal 1937 nella collezione Mellon, sino al 1941. Pubblicata da Berenson [1929] come opera di Masaccio anteriore al polittico di Pisa (n. 10); riproposta dallo stesso critico [1930] e accolta anche da L. Venturi [1930], considerandola addirittura prossima all'affresco di Montemarciano (n. 29); successivamente fu pure giudicata autografa, con una data intorno al 1424-25, da Lindberg [1931], Pittaluga [1935], Longhi [1940], Salmi [1932 e 1948]. In seguito, però, ha lasciato assai dubbiosi a causa dell'incidenza fortissima del restauro moderno su un originale per nulla accertato; e venne sottaciuta dallo stesso Berenson nel 1932, ma riportata nel 1963. Da escludere comunque, per Procacci [1951], che sia stata concepita da Masaccio; mentre Brandi [1961-62] avanza il nome di Paolo Schiavo. Il

5

6

Radiografia del dipinto di cui al n. 5.

Berti [1964], analizzandone le incongruenze, segnalava d'altra parte la necessità di giungere a una approfondita documentazione oggettiva che permetta un giudizio sicuro.

9 ▦ ✪ ▢ ⁝

SACRA FAMIGLIA CON DONATRICE. Altenburg, Lindenau-Museum.

Dal Longhi fu supposta in un primo tempo [1926] "direttamente masaccesca"; poi [1940 e 1947], pur con riserva a causa delle ridipinture, "degna della giovinezza" di Masaccio. L'opinione viene riferita anche da Salmi [1948] e Procacci [1951], pur segnalando riferimenti, da parte di altri, ad Ansuino da Forlì, a Domenico Morone, a Filippino Lippi e ad anonimo padovano sotto l'ascendente del Lippi stesso verso il 1460: parere, quest'ultimo, che sembra essere prevalso.

Polittico di Pisa

Il complesso, ora disperso, risulta ben testimoniato (si veda *Documentazione*, 1425-26) dalle carte rese note dal Tanfani-Centofanti [1897], mentre per parte sua il Vasari [1568] lo aveva descritto sufficientemente quando, nella totale integrità, si conservava ancora nella chiesa del Carmine a Pisa, sull'altare della cappella che vi si era fatto costruire il notaio Giuliano di Colino degli Scarsi da San Giusto, a volta binata e appoggiata al coro, estendentesi dall'ingresso di quest'ultimo fino al muro meridionale dell'edificio. Sappiamo quale risultasse l'altezza complessiva dell'altare con il polittico soprastante: braccia otto e ²/₃, cioè m. 5 circa. Il paliotto dello stesso altare, "di rosso ombrato molto bello, con fregi o vero frangia intorno, et uno compassio dentrovi mezo San Juliano", fu invece dipinto dal fiorentino Cola d'Antonio; e la cortina venne colorita da un maestro Mariano di Piero della Valenzana. Le tavole e le dorature del polittico erano state preparate da un artigiano senese, Antonio di Biagio. Nella prima edizione delle *Vite* [1550] il Vasari assegnava inoltre a Masaccio, sempre al Carmine di Pisa, "in una parete di muro, uno Apostolo molto lodato"; ma nella seconda edizione [1568] attribuisce tale figura — dicendola un vescovo e non un apostolo — a fra' Filippo Lippi (si veda qui di seguito).

Il polittico dovette andare rimosso e smembrato nel tardo '500 stesso, e non durante il '700, in qualcuna delle tante mu-

tazioni controriformistiche allora intervenute [Davies, Catalogo, 1961] nella chiesa; mentre i ritrovamenti e l'identificazione delle *disiecta membra*, purtroppo non complete, risalgono alla fine del secolo scorso e ai primi del nostro. Gli elementi ricomparsi, esaminati qui sotto, convengono alla descrizione vasariana: "... una Nostra Donna col figliuolo, e a' piedi sono alcuni angioletti che suonano,

uno de' quali, suonando un liuto, porge con attenzione l'orecchio all'armonia di quel suono [*Madonna in trono*, n. 10 G]. Mettono in mezzo la Nostra Donna san Piero, san Gio. Battista, san Giuliano, e san Niccolò, figure tutte molto pronte e vivaci [scomparse]. Sotto, nella predella, sono, di figure piccole, storie della vita di que' santi [*Martirio di san Pietro e di san Giovanni Battista*, n. 10 I, e *Storie di san Giuliano e di san Nicola*, n. 10 K] et nel mezzo i Magi che

89

(Sopra) Ricostruzione ideale del polittico di Pisa (n. 10 A-K) secondo recenti ipotesi del Salmi [1967] (le lettere si riferiscono alla numerazione adottata in questo Catalogo). Rispetto alla conformazione originaria supposta in precedenza, oltre all'inserzione dei pinnacoli, sono da registrare spostamenti dei dipinti n. 10 D, E, F (già presunti nell'ordine: E, F, D) e di quello n. 10 H (già sito nel registro sottostante). - *(Sotto)* Il registro 'principale' del polittico stesso, secondo Shearman [da "The Burlington Magazine" 1966].

10 A [Tav. XVII-XIX]

10 C

10 B [Tav. XIII-XVI]

10 D [Tav. XX]   **10 E** [Tav. XX]

10 F [Tav. XXI]   **10 H** [Tav. XXI]

offeriscono a Christo; et in questa parte sono alcuni cavalli ritratti dal vivo tanto belli, che non si può meglio desiderare, e gli huomini della corte di que' tre Re sono vestiti di varij habiti che si usavano in que' tempi [*L'Adorazione dei Magi*, n. 10 J]. E sopra, per finimento di detta tavola, sono in più quadri molti santi [*San Paolo*, n. 10 A, *Sant'Andrea*, n. 10 C, e altri non identificati] intorno a un Crocifisso [*La Crocifissione*, n. 10 B]". Peraltro il Vasari non dà conto dei quattro piccoli *Santi* di Berlino (n. 10 D, E, F e H), sulla cui originaria appartenenza al complesso la critica appare tuttavia d'accordo.

Schemi ricostruttivi del polittico (o trittico) sono stati proposti da Suida [1906], Salmi [1932 e 1948; si veda qui sotto] e Steinbart [1948]; mentre poi il Berti [1964] faceva alcune osservazioni, tra cui le seguenti: 1) i laterali con le coppie di *Santi* dovevano avere la stessa larghezza dell'elemento centrale, essendo identiche di larghezza le rispettive predelle (di sicuro non decurtate lateralmente); 2) non si può supporre che la cuspide (n. 10 B) fosse in origine più larga [Salmi], ma doveva esserci un restringimento dell'incorniciatura al disopra della *Madonna* (n. 10 G); 3) il grafico del Salmi determina un'altezza massima totale, al centro, di circa m. 2,80, mentre sappiamo che polittico e altare sommavano a 5 m. di altezza, di cui non si possono però attribuire gli altri m. 2,20 all'altare, compresi anche i gradini ecc.: ciò solleva dunque il problema di come aumentare l'altezza del polittico, se con un doppio ordine di busti di santi (ipotesi del Procacci), o altrimenti. Ulteriori soluzioni ricostruttive sono state poi suggerite da Shearman [1961 e 1966] per la parte mediana del complesso; ma la troppo ampia spazialità che lo studioso viene a supporre, e il taglio che avrebbe subito inferiormente la tavola centrale della Madonna, lasciano parecchio dubbiosi. Ultimamente il Salmi [1967] insisteva sulla riduzione che avrebbero subito alcuni elementi; comunque modificava il precedente schema, supponendo un terzo ordine di *Santi* (si veda grafico, pag. 89). •

10 I [Tav. XXII-XXIII]

10 J [Tav. XXIV-XXVI]

10 K

10 🔲 ◉ 51×30 1426 🔲⋮

A. SAN PAOLO. Pisa, Museo Nazionale.

Pervenne al Museo dell'Opera della Primaziale per un legato Zucchetti (1796), e reca una scritta secentesca a tergo: "Opus Masaccij a Castro S. Johannis vallis arnis ...". Dal Cavalcaselle [1864] fu assegnato a un allievo di Masaccio, e poi [1883] ad Andrea di Giusto; quest'ultimo riferimento trovò concordi Bode [1901], Poggi [1903] e Mesnil [1927] in una strana svalutazione qualitativa. L'averlo rivendicato al maestro è merito di Schmarsow [1895], seguito da Berenson [1908], A. Venturi [1911], Giglioli [1921], Van Marle [1928], Lindberg [1931], Salmi [1932] ecc. L'appartenenza al polittico di Pisa, sebbene manchi una precisa testimonianza, risulta pressoché accertata dallo stile, dalla provenienza da Pisa stessa, dal collegamento col *Sant'Andrea* (n. 10 C).

Un altro *San Paolo*, già in proprietà Bayersdorfer a Monaco e

10 G [Tav. VII-XII]

90

segnalato da De Fabriczy [1892] come possibile elemento della pala in esame, si identifica propriamente col *Sant'Andrea* suddetto.

10 🔲⊗ 83×63 / 1426 ☐ ⋮
B. LA CROCIFISSIONE, CON LA MADONNA, LA MADDALENA E SAN GIOVANNI. Napoli, Gallerie Nazionali di Capodimonte.

Acquistata dal Museo nel 1901 dalla proprietà De Simone. Fu ascritta dapprima ad anonimo fiorentino, sebbene fosse stata riconosciuta subito quale opera di Masaccio da A. Venturi; poi il Suida [1906] la riferì al polittico di Pisa. È stata restaurata nel periodo 1953-58 [Molajoli, 1958; Causa, 1960], mettendo fra l'altro in luce sulla croce l'Albero della Vita, in luogo di una precedente brutta tabella con la scritta "INRI". Il Longhi [1940] notava che la Maddalena fu inserita in un secondo tempo, dato che il nimbo non risulta apprestato precedentemente dal battiloro, ed è elementare rispetto agli altri, molto curati. Peraltro la magistrale figura determina uno schema semicircolare intorno alla croce.

10 🔲⊗ 51×31 / 1426 ☐ ○
C. SANT'ANDREA. Vienna, Collezione Lanckoronski.

Le dimensioni vengono indicate altrimenti dal Salmi [1948]: 52,2×34,4. Ceduto alla sede attuale da Bayersdorfer (si veda n. 10 A). Fu posto in relazione col polittico di Pisa già da Schmarsow [1896].

10 🔲⊗ 38×12 / 1426 ☐ ⋮
D. SANTO CARMELITANO. Berlino, Staatliche Museen.

Assieme alle altre tre opere analoghe (n. 10 E, F e H) si trovava, sotto il nome di Masaccio, nella collezione Butler; tutti e quattro i dipinti vennero esposti a Londra nel 1893-94 ed entrarono a far parte dei Musei berlinesi nel 1905. Il riferimento al polittico in esame è suffragato dall'ordine carmelitano cui appartengono i due santi raffigurati nel presente dipinto e nel n. 10 H (per tale identificazione si veda Caioli [1929]). Secondo Schubring [1906], in origine facevano parte della predella, dividendo le 'storie' date ai n. 10 I, J e K; più verosimilmente il Salmi [1948] li suppose nei pilastri (tuttavia si veda il Berti [1964] per alcuni rilievi in merito): col che si pone il problema di dove siano finiti gli altri cinque 'pezzi' della serie. L'atteggiamento teso, come a disputare, ha riscontro in opere di Donatello.

10 🔲⊗ 38×12 / 1426 ☐ ⋮
E. SANT'AGOSTINO. Berlino, Staatliche Museen.

Per ogni ragguaglio, si veda n. 10 D.

10 🔲⊗ 38×12 / 1426 ☐ ⋮
F. SAN GIROLAMO. Berlino, Staatliche Museen.

Il Salmi nota la funzione di determinare sinteticamente lo spazio, assolta dal leggio monastico. Per ogni altro ragguaglio, si veda n. 10 D.

10 🔲⊗ 135×73 / 1426 ☐ ⋮
G. MADONNA IN TRONO COL BAMBINO E QUATTRO ANGELI. Londra, National Gallery.

Già Woodburn e, poi, del reverendo A. F. Sutton di Brant Broughton a Newark, col nome di Gentile da Fabriano; venne acquistata (1916) dal Museo dopo che Berenson [1907] aveva riconosciuto l'autografia di Masaccio. Nelle gambe del Bambino, nella mano sinistra e nel manto della Madonna si rilevano lacune di colore e restauri. Salmi [1948] e Berti [1964] hanno indicato il timbro classico delle membrature del trono e altri elementi analoghi; la Borsook [1961] ha precisato le probabili ascendenze strutturali a opere di Nicola e Giovanni Pisano nella stessa Pisa.

10 🔲⊗ 38×12 / 1426 ☐ ⋮
H. SANTO CARMELITANO. Berlino, Staatliche Museen.

La rischiosa ipotesi d'una collaborazione del giovane Filippo Lippi nel polittico di Pisa potrebbe appuntarsi in ispecie sul presente elemento. Rimane tuttavia da notare che proprio già nel 1426 il Lippi, assieme all'orafo Nicolò Spinelli e ad Andrea di Noferi Lastraioli, stimava una statua di Donatello per il Duomo di Firenze: ciò testimonia la considerazione che il supposto aiuto doveva ormai godere come maestro autonomo. Per ogni altro ragguaglio sul dipinto, si veda n. 10 D.

10 🔲⊗ 21×61 / 1426 ☐ ⋮
I. MARTIRÎ DI SAN PIETRO E DI SAN GIOVANNI BATTISTA. Berlino, Staatliche Museen.

A sinistra, la Crocifissione del primo papa; a destra, la Decol-

11

Stemma del cardinale Casini, dipinto sul retro dell'opera n. 11.

lazione del Precursore. Assieme all'opera seguente, n. 10 J, venne acquistata per la sede attuale nel 1880 presso la collezione di Gino Capponi a Firenze [Fantozzi, 1846]. Già dal Cavalcaselle i due dipinti appaiono riconosciuti pertinenti alla predella del polittico di Pisa. (Si veda anche il commento al n. 10 K).

10 🔲⊗ 21×61 / 1426 ☐ ⋮
J. L'ADORAZIONE DEI MAGI. Berlino, Staatliche Museen.

Nello staffiere che si affaccia tra i musi dei due cavalli è forse da riconoscere un autoritratto, alquanto soggettivizzato, o un ritratto del fratello minore dello stesso Masaccio, secondo l'ipotesi di qualche studioso. Per ogni altro ragguaglio, si veda n. 10 I.

10 🔲⊗ 22×62 / 1426 ☐ ⋮
K. 'STORIE' DI SAN GIULIANO E DI SAN NICOLA. Berlino, Staatliche Museen.

A sinistra, san Giuliano uccide i genitori; all'altro lato, san Nicola getta le mele d'oro nella stanza delle tre fanciulle povere. La tavola fu acquistata dal Museo nel 1908, già identificata come elemento del polittico pisano, ma per lo più riferita, per la stesura pittorica, ad Andrea di Giusto [Van Hadeln, 1908; Bode, 1921; Mesnil, 1927; Lindberg, 1931]. Secondo il Salmi [1948], l'aiuto potrebbe tuttavia essere stato piuttosto lo Scheggia; anche il Brandi [1961-62] respinge l'ipotesi relativa ad Andrea di Giusto. Peraltro si è stati forse un po' troppo severi verso la qualità della presente e dell'opera 'gemella' (n. 10 I), e probabilmente è stata sopravvalutata la parte dell'aiuto (comunque avvertibile nella zona di sinistra) rispetto all'ideazione e a quanto può spettare direttamente alla mano di Masaccio.

11 🔲⊗ 24×18 / 1426* ☐ ⋮
MADONNA COL BAMBINO. Firenze, Palazzo Vecchio.

Di provenienza privata, fu resa nota dal Longhi [1950] riferendola al momento del polittico pisano, e venne esposta alla 2ᵃ Mostra delle opere d'arte recuperate in Germania [Siviero, 1952]. Il Procacci [1951] la citava, però fra le attribuzioni, né l'opera comparve alla rassegna dei Quattro maestri del primo Rinascimento (1954). Non si pronunzia sul dipinto, pur nominandolo, il Baldini [1962]; lo accoglie il Berti [1964] — contrastato dal Salmi [1967] —, con la datazione, appunto, 1426 circa, portando alcuni confronti probativi (per esempio, la mano sinistra della presente Madonna con quella dell'analoga figura a Londra [n. 10 G]). La stimano autografa anche il Parronchi [1966] e il Bologna [1966]; il quale ultimo cita l'attribuzione da parte di qualche critico ad Arcangelo di Cola da Camerino.

Nel retro la tavoletta reca, sormontato da cappello cardinalizio, uno stemma con scudo recante sei stelle rosse in campo giallo, diviso per metà da una banda nera con croce dorata. L'insegna concerne il cardinale Antonio Casini, di origine senese, il quale fu elevato alla porpora il 24 maggio 1426 (termine, dunque, probabilmente *post quem* o di occasione dell'opera), e sarebbe morto a Firenze nel 1439.

12 🔲⊗ ── 1424-27* ☐ ⋮
"UN MASCHIO ET UNA FEMMINA IGNUDI". Già a Firenze, Proprietà Rucellai.

Opera citata dal Vasari [1550] e poi scomparsa: "Nel ritorno da Pisa, [Masaccio] lavorò in Fiorenza una tavola, dentrovi un maschio et una femmina ignudi, quanto il vivo; la quale si trova oggi in casa Palla Rucellai". Il pensiero corre al parallelo costituito dall'Adamo ed Eva di Van Eyck nel polittico di Gand ('Classici dell'Arte - 17', n. 9 I² e O²); e all'Adamo ed Eva affrescati da Masaccio stesso al Carmine (n. 17 A).

13 🔲⊗ 24×43 / 1426-27* ⬚ ⋮
'STORIE' DI SAN GIULIANO. Firenze, Museo Horne.

A sinistra, il santo, accompagnato da un cane in scorcio, dialoga col subdolo demonio in aspetto di robusto giovanotto; al centro, la camera con il letto dove giacciono uccisi i genitori di san Giuliano; a destra, il colloquio del santo con la moglie, che indica verso l'eccidio, mentre Giuliano si volge al cielo mostrando le palme delle mani colpevoli. La danneggiatissima tavoletta fu resa nota dal Gamba [1920] e messa ipoteticamente in rapporto con Masaccio (cui l'aveva attribuita lo stesso Horne), e con la predella del trittico di Santa Maria Maggiore a Firenze, dove era appunto un *San Giuliano* (di Masolino, ora nel Museo Diocesano di Firenze: la 'storia' relativa in predella è probabilmente quella del Musée Ingres di Montauban, pure di Masolino). L'attribuzione del Gamba suscitava vari

13

contrasti [Somarè, 1924; Giglioli, 1929; Lindberg, 1931; Pittaluga, 1935; Steinbart, 1948]; mentre lo Schmarsow [1930] proponeva quale autore il Pesello; a Stechow [1930] e Oertel [1933], il giovane Domenico Veneziano. L'accolsero invece Berenson [1932]; Longhi [1940], considerandola una possibile prima redazione, poi scartata e ritirata, per la predella del polittico di Pisa (n. 10 D-K); Salmi [1948], che, escludendo tale ipotesi, stimava però la tavoletta dipinta nella bottega di Masaccio; Ragghianti [1949], concorde con il Longhi; Procacci [1951], riprendendo l'ipotesi del Gamba;

Brandi [1961-62]; Berti [1964], riferendola all'inizio del 1427; Parronchi [1966]; Rossi [1966].

Mentre l'alta e severa qualità ancora discernibile induce ad accogliere l'autografia masaccesca, considerazioni d'ordine filologico fanno d'altra parte escludere sia l'appartenenza al trittico di Santa Maria Maggiore, sia a quello pisano [Berti, 1964]. Tuttavia il dipinto, così danneggiato e sfregiato da pii fanatici nel viso del diavolo-giovanotto, dev'essere stato un tempo esposto al pubblico, in connessione con qualche immagine di san Giuliano: ed è magari da tener presente che il committente del polittico di Pisa si chiamava appunto ser Giuliano.

14 🔲⊗ ── 1426-27* ☐ ○
SANT'IVO E I SUOI PROTETTI. Già a Firenze, Chiesa di Badia.

È citato dal Vasari [1568]: "Nella Badia di Firenze [presso cui Masaccio aveva bottega] dipinse a fresco in un pilastro, dirimpetto a uno di quegli che reggono l'arco dell'altar maggiore, santo Ivo di Brettagna, figurandolo dentro a una nicchia, perché i piedi scortassino alla veduta di sotto. La qual cosa, non essendo sì bene usata da altri, gli acquistò non piccola lode; e sotto il detto santo sopra un'altra cornice, gli fece intorno vedove, pupilli, e poveri, che da quel santo sono nelle loro bisogne aiutati". L'ubicazione risulta localizzata nel pilastro fra la prima e la seconda campata della navata di sinistra. L'affresco andò distrutto quando venne rifatta la chiesa (1627); la testa del santo, segata dal muro, fu allora trasferita nella camera dell'abate, poi però scomparve. La Pittaluga [1935], dato l'effetto prospettico ardito, ha supposto il *Sant'Ivo* del momento del polittico di Pisa (n. 10 A-K).

15 🔲⊗ 50×34 / 1427* ☐ ⋮
LA PREGHIERA NELL'ORTO e LA COMUNIONE DI SAN GIROLAMO PENITENTE. Altenburg, Lindenau-Museum.

Fin dall'origine le due tavolette (rispettivamente di cm. 30×34 e 20×34) furono con molta probabilità riunite insieme (essendo la superiore già cuspidata) in un dipinto devozionale domestico. Pervennero alla sede odierna nel 1844 per acquisto presso la collezione E. Braun di Roma. Attribuite dapprima [Catalogo, 1848] a maestro fiorentino circa del 1440, da Schmarsow

[1899] furono ascritte a Masaccio e riferite alla predella di un polittico; chiaramente masaccesche parvero anche a Lindberg [1931]. Berenson [1936 e 1963] avanzava però il nome di Andrea di Giusto; il Longhi [1940], seguito dal Salmi [1948], quello invece di Paolo Schiavo, tra il 1430 e il 1440; il Procacci non le cita. Oertel [1961], al contrario, ne rivendicava il valore, rilevando la forte qualità inventiva e compositiva, e domandandosi se certa sciatteria esecutiva si dovesse a Masaccio stesso o a un aiuto, pensando ad Andrea di Giusto. Tale opinione è ripresa dal Berti [1964], con riferimento al 1426-27 circa, poco dopo il polittico di Pisa (n. 10 A-K) e in corrispondenza con alcuni affreschi nel registro inferiore al Carmine (n. 17 E-F); e poi anche dal Parronchi [1966]. È del resto evidente che, come ideazione, le due storiette sono al disopra delle possibilità d'un Andrea di Giusto o Paolo Schiavo. Le ali dell'angelo nella *Preghiera* risultano disegnate, ma poi la coloritura dev'essere scomparsa.

16 ▦⊕ ——— 1425*? o 1427? ▤ ○○

SAN PAOLO. Già a Firenze, Chiesa del Carmine.

Figura ad affresco, nel lato del transetto del Carmine fiorentino opposto alla cappella Brancacci (per l'ubicazione precisa si vedano Procacci [1932 e 1933-34] e Berti [1964]). L'opera è citata già dal Manetti [sec. XV] come "figura maravigliosa", ed esaltata dalle altre fonti e dal Vasari [1550 e 1568] ("[Masaccio]

15

dimostrò veramente infinita bontà in questa pittura; conoscendosi la testa di quel Santo, il quale è Bartolo di Angiolino Angiolini ritratto di naturale, una terribilità tanto grande, che e' pare che la sola parola manchi a questa figura ... Mostrò ancora in questa pittura medesima la intelligenzia di scortare le vedute di sotto in sù, che fu veramente maravigliosa; come apparisce ancor oggi ne' piedi stessi di detto Apostolo ..."). Nel rifacimento della cappella Corsini (1675) il dipinto scomparve, insieme a un *San Pietro* affrescato a *pendant* da Masolino. Il Vasari lo dice eseguito "come per saggio", prima di metter mano alla Brancacci: la sua cronologia è dunque probabilmente da riferire alla prima metà del 1425, quando Masaccio e Masolino iniziarono la collaborazione di quel ciclo. Non si può escludere però nemmeno che le due figure venissero di-

pinte nella seconda metà del 1427, tornato Masolino dall'Ungheria. L'Angiolini (1373-1432), effigiato da Masaccio, ricoprì importanti cariche pubbliche.

Affreschi della cappella Brancacci

"Dipinse nella cappella de' Brancacci più storie, il meglio che v'è: è dipinta di mano di 3 maestri tutti buoni; ma lui, maravigliosa": così, già il Manetti [sec. XV] sulla parte di Masaccio nella cappella del Carmine di Firenze dedicata sin dalla fondazione alla Madonna del Popolo (immagine dipinta nel sec. XIII conservata tuttora sull'altare) e appartenente ai Brancacci dal 1386. Non però Antonio Brancacci (come dice il Vasari), ma Felice Brancacci ne doveva commissionare l'affrescatura a Masolino e Masaccio, con 'storie' di san Pietro. Felice fu ricco mercante di sete, genero di Palla Strozzi, e ricoprì importanti cariche politiche: nel 1421 fu degli allora istituiti consoli del mare; nel 1422-23, ambasciatore fiorentino al Cairo, presso il sultano d'Egitto, per trattare l'incremento dei commerci tramite il porto di Pisa; nel primo 1426, commissario fiorentino presso le truppe che assediavano Brescia nella guerra, con alleata Venezia, contro Milano. A tali dati sul Brancacci si è tentato di connettere, con allusioni simboliche, il ciclo in esame. Si è visto, per esempio, un significato commerciale-marinaro [Brockhaus, 1930; Antal, 1948]; o, invece, un riferimento al conflitto tra Firenze e Milano e all'arbitrato pontificio [Meller, 1961]; ovvero, nella figurazione insolita del *Tributo* (n. 17 D), si è colta un'allusione al catasto, cioè al nuovo sistema fiscale allora (1427) istituito a Firenze in connessione con le gravi necessità belliche. Mentre su tali aspetti si ritornerà più puntualmente nei commenti ai singoli affreschi, va intanto notato che codeste interpretazioni non sono prive di sottigliezze, e vanno tenute presenti nell'ambito del gusto allegorico-simbolico del tempo, riscontrabile per esempio nelle opere coeve di

Van Eyck: né è escluso che possano esistere nel ciclo molteplici sottintesi, in più direzioni [Berti, 1964]. Il Brancacci, militando nel partito antimediceo, sarebbe finito poi esiliato nel 1436, e anche questo va considerato per chiarire perché il lavoro non venisse terminato entro breve tempo dalla morte di Masaccio; e specialmente per spiegare l'incompiutezza di uno degli ultimi affreschi masacceschi (n. 17 G).

La serie si estende su due ordini (si veda lo schema) e in origine anche nei lunettoni e nella volta. Quest'ultima recava i quattro *Evangelisti* di Masolino, e, probabilmente, compassi con Santi nel s[u]tarco d'ingresso; nei grandi lunettoni laterali figuravano, sempre di Masolino, la *Chiamata di Pietro e Andrea* (dipinto apografo già a Venezia, pubblicato dal Longhi [1940]; disegno apografo pubblicato dal Meiss [1964]) e il *Naufragio degli apostoli*: da notare, intanto, il carattere 'marino' delle due composizioni, in possibile rapporto col consolato del ma-

re appunto retto dal Brancacci [Berti, 1964]. A un lato della finestra era, pure di Masolino, un *Pentimento di san Pietro per aver rinnegato Cristo*; ma che cosa vi fosse dall'altro lato del finestrone è incerto, e non si può escludere del tutto che si trovasse raffigurato san Pietro in atto di "suscitare i morti" [Vasari], di Masaccio. Andate perse — come si dirà — le opere della zona superiore, gli affreschi restanti sono i seguenti, che si indicano col nome dell'autore, qualora non sia Masaccio. Registro mediano, pilastro di sinistra: *Cacciata dei Progenitori dal paradiso terrestre* (n. 17 A); lato di sinistra: *Tributo* (n. 17 D); a sinistra della finestra: *Predica di san Pietro* (Masolino); a destra della finestra: *Battesimo dei neofiti* (n. 17 B); lato di destra: *Resurrezione di Tabita* (di Masolino con collaborazione di Masaccio, n. 17 C); pilastro di destra: *Adamo ed Eva nel paradiso terrestre* (Masolino). Registro inferiore, pilastro di sinistra: *San Pietro in carcere visitato da san Paolo* (Filippino Lippi); lato di sinistra: *Resurrezione del figlio di Teofilo e san Pietro in cattedra* (in parte di Masaccio, n. 17 G, e in parte di Filippino Lippi); a sinistra della finestra: *San Pietro risana gli infermi con la propria ombra* (n. 17 F); a destra della finestra: *Distribuzione dei beni e morte di Anania* (n. 17 E); lato di destra: *Disputa di san Pietro con Simon Mago e Martirio di san Pietro* (Filippino Lippi); pilastro di destra: *San Pietro liberato dal carcere* (Filippino Lippi). Le 'storie' appaiono incorniciate da mezze lesene

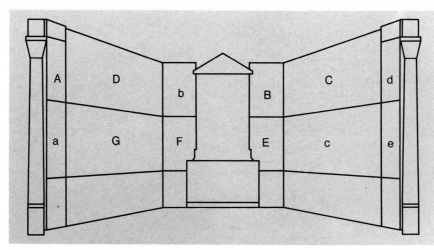

Grafico relativo all'ubicazione delle opere di Masaccio sulle pareti della cappella Brancacci (n. 17; i vari scomparti sono contrassegnati da lettere maiuscole, corrispondenti a quelle adottate nel presente Catalogo). Le lettere minuscole concernono le opere di Masolino (b, Predicazione di san Pietro; d, Tentazione di Adamo ed Eva; a Masolino spetta inoltre gran parte del n. 10 C, e forse la testa di Cristo nel n. 10 D) e di Filippino Lippi (a, San Pietro in carcere visitato da san Paolo; c, Crocifissione di san Pietro e Disputa dei santi Pietro e Paolo con Simon mago; e, San Pietro liberato dal carcere; si deve inoltre al Lippi il compimento del n. 10 G).

17 A [Tav. XLV-XLVIII]

17 B [Tav. XXXIII-XXXV]

angolari di tipo rinascimentale, con capitelli corinzi rossastri, viste con lo spessore in scorcio, e attribuibili a Masaccio; e i due registri sono separati da cornicette dentellate. Tolnay [1965] nota che attualmente le due figurazioni relative ad Adamo ed Eva sono incongruenti nel ciclo, e suppone che gli apostoli di Filippino Lippi sottostanti ad esse dovessero concernere in origine altri due episodi della Genesi (Adamo ed Eva al lavoro, Sacrificio di Caino e Abele), ed altri, pure della Genesi, dovessero comparire nella fronte della cappella. Di codeste composizioni, progettate da Masolino e Masaccio ma non eseguite, risentirebbero talune figurazioni di Jacopo della Quercia nel portale di San Petronio a Bologna.

Non si sa con esattezza chi fossero, dopo l'esilio di Felice Brancacci, nella seconda metà del secolo, i committenti del compimento del ciclo a Filippino Lippi (si veda Berti - Baldini [1957], con riferimento al 1481-82 circa; mentre il Ragghianti [1960] pensa al 1484-85 circa; cfr. inoltre Fiocco [1957]), se i frati o i Brancacci stessi, allora però impoveriti (comunque, da documenti del 1473 e 1506 essi risultano pur sempre in relazione col Carmine). Dopo un restauro alla cappella nel 1670-74, cui si deve fra l'altro il basamento marmoreo lungo le pareti, il ciclo corse serio pericolo di distruzione verso il 1690. Allora il ricchissimo marchese Ferroni voleva acquistare la cappella e rinnovarla similmente a quella Corsini, di fronte, distruggendo gli affreschi ormai non più nel gusto corrente; né ai frati sarebbe importato "più non vedere quei mostacci con zimarre e mantelloni all'antica abbigliati". Sennonché giunse un veto della granduchessa madre Vittoria della Rovere, su premura, sembra, di intenditori e dell'Accademia del disegno; il Ferroni si offrì pertanto di far segare "le mura del primo ordine, ove sono le pitture più insigni", per conservarle, ma provvidenzialmente non se ne fece di nulla, e il marchese ripiegò sulla cappella della Santissima Annunziata [Procacci, 1956]. Seguì, nel 1734, una pulitura dei dipinti; nel 1746-48, purtroppo, avvenne il rifacimento della volta e dei lunettoni, nel corso di un 'restauro' generale, che comportò la sostituzione delle opere del Meucci e Sacconi a quelle del Masolino; poi, i danni (principalmente, affumicamento degli affreschi) provocati dal famigerato incendio del Carmine nel 1771. Nel 1780 i Brancacci, ormai trasferiti in Francia, pur di non pagare il restauro rinunciarono al patronato, che fu acquistato dai Riccardi, i quali riaprirono nel 1782 la cappella, nuovamente restaurata. Del 1904 è una spolveratura dovuta a F. Fiscali. Sinora non sono stati eseguiti né saggi nella parte dei lunettoni, volta, arco d'ingresso, ecc. — rifatti, come si è visto, alla metà del sec. XVIII — alla ricerca di eventuali reliquie degli originali di Masolino; né si sono osati interventi di restauro su questo capitale testo pittorico. Sulla cappella nel complesso, si rinvia per la bibliografia al Giglioli [1929], nonché agli studi di Salmi [1948 e 1956], Borsook [1960], Berti [1964] (che pubblica per la prima volta i grafici delle 'giorna-

te') e ai fascicoli del Procacci [1965] e del Bologna [1965]. Né si starà a richiamare — essendovi ormai concordia e sicurezza, tranne che per qualche piccolo particolare, nella distinzione fra i tre autori degli affreschi — la vicenda delle passate confusioni, cominciando dall'erroneo riferimento a Masaccio dell'intero ciclo [Patch, 1770; fino a Rosini, 1850].

Infine, non risulta documentata la data d'esecuzione degli affreschi, ma certamente essa è posteriore al 1422, data in cui ancora non se ne parla nel testamento di Felice Brancacci, e anzi al febbraio 1423, quando questi ritornò dal Cairo. La cronologia più probabile appare situabile tra la fine del 1424, allorché dovette cominciare la collaborazione di Masolino con Masaccio [Berti, 1964], fino al 1427 o '28, allorché Masaccio lascia Firenze per Roma, con il ciclo ancora incompiuto. Il Procacci [1951] pensa invece che esso venisse iniziato dal solo Masolino nella prima metà del 1425 (Masolino partì poi, il 1° settembre, per l'Ungheria); quindi ripreso (dal registro mediano) in collaborazione con Masaccio al ritorno dall'Ungheria, nel luglio 1427. Ciò restringerebbe la cronologia del ciclo (tranne la parte superiore, andata distrutta), in un unico anno, fra l'estate del 1427 e quella del 1428: tesi cui però ci sembra difficile aderire, oltretutto perché si avrebbe un troppo rapido trapasso di stile in Masaccio (dalle 'storie' del registro superiore a quelle del registro sottostante); e inoltre considerando che, nel frattempo, Masaccio doveva avere altri impegni (Annunciazione di San Niccolò, n. 24; Trinità di Santa Maria Novella, n. 21), tali da non consentire l'esecuzione così sollecita d'un ciclo, il quale dovette essere, invece, profondamente meditato in ogni elemento. D'altra parte, se si esclude detta ipotesi e si pone mente alla collaborazione contemporanea tra Masaccio e Masolino, che risulta almeno in gran parte del secondo registro e talora in un medesimo affresco (si vedano n. 17 C-D), non si può che addivenire, per il secondo registro, a una datazione entro la partenza di Masolino nel 1425. Da considerare altresì che proprio la cronologia asserita dal Procacci porta ad alcune conseguenze: se Masolino lasciò Firenze nel maggio 1428 (ma ancora non se ne possiede una documentazione sicura), i due compagni non avevano dipinto fino allora che il secondo registro, altrimenti Masolino sarebbe intervenuto anche nel primo. Masaccio però, rimasto solo, entro la fine dell'anno eseguì almeno tutto quanto rimane del primo registro, probabilmente attendendo, nel tempo stesso, ad alcune commissioni private; poi scese a Roma e intervenne, forse, a San Clemente, dipingendo sul rovescio, il laterale del trittico oggi a Londra (n. 25). Comunque non rimane tempo disponibile per supporre entro tale periodo anche la stesura della Trinità suddetta, la quale, giusta la tesi in argomento, andrebbe anteposta al secondo registro Brancacci: ciò che, però, dal lato stilistico, non costituisce una soluzione agevole e persuasiva. Perché, dunque, escludere che Masaccio e Masolino abbiano invece collaborato nel 1424-25? Infine, mentre un riferimento culturale classicistico e

secondo il recente parere del Salmi [1967], il ciclo ebbe inizio nel 1426, col Battesimo dei neofiti (n. 17 B).

17   208×88   1424-25*

A. LA CACCIATA DEI PROGENITORI DAL PARADISO TERRESTRE.

Pendant dell'*Adamo ed Eva*

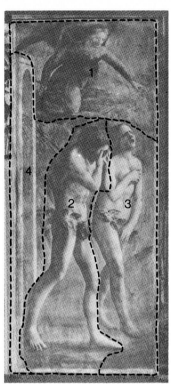

nel paradiso terrestre di Masolino — sul pilastro di fronte — con cui è tradizionale il confronto per discriminare il 'Rinascimento' di Masaccio dal 'tardo Gotico' di Masolino. In effetti nel pur bellissimo affresco di quest'ultimo la psicologia risulta indefinibile e astratta, così come il 'disegno' delle tenere, longilinee figure è di una sintetica genericità anatomica, ancora gotica; in Masaccio subentra invece una violenta carica drammatica, assai fortemente concreta nell'immagine, ben più precisata. Per l'Adamo, dal torso in fase inspiratoria (petto gonfio, ventre contratto), si è pensato a derivazioni da opere tardoellenistiche (Marsia o Laocoonte); mentre per l'Eva si è scorta un'ascendenza nella Venere pudica greco-romana, tramite probabilmente la Temperanza di Giovanni Pisano nel Duomo di Pisa [Kurt, 1912; Dvořák, 1927; Mesnil, 1911 e 1926; P. Murray, "AP" 1965 (proponendo pure confronti con il rilievo della Cacciata eseguito dai due Pisano per la fontana di Perugia)]. Da notare come la testa in pathos dell'Eva, dalla bocca aperta nell'urlo doloroso, ricordi proprio quella dell'Isacco nella formella per la porta del Battistero fiorentino del Brunelleschi [Berti, 1964]. Un riferimento culturale classicistico e

avanzato sostiene dunque la nuova espressività di Masaccio, grandemente inventiva anche nell'angelo librato in volo e di scorcio. Per i due nudi pure da tener presente il rapporto col dipinto perduto in casa Rucellai (n. 12). L'affresco, le cui 'giornate' risultano di agevole determinazione, palesa restauri nel cielo — alterato inoltre da azzurro a plumbeo —, in parte del-

la testa, collo e tunica rossa dell'angelo [Ragghianti, 1960], nelle teste di Adamo ed Eva. Evidentemente aggiunte più tardi, le brutte frasche sulle pudenda delle due figure. Per alcuni studiosi [Brandi; ecc.], si tratta del primo dipinto di Masaccio nella cappella Brancacci; per altri [Salmi], invece, l'inizio sarebbe nel Battesimo dei neofiti (n. 17 B); altri ancora [Procacci; Bologna] lo collegano al Tributo (n. 17 D).

17   255×162   1424-25*

B. IL BATTESIMO DEI NEOFITI.

È la 'storia' (Atti degli apostoli, II, 41) dove, "infra l'altre fiure, v'è uno che trema, cosa mirabile a vedere" [Anonimo Magliabechiano]; tale figura — il neofita nudo a destra, in piedi, in attesa del battesimo, "condotto con bellissimo rilievo, et dolce maniera" [Vasari] — fu anzi la più celebre del ciclo durante il Rinascimento (si veda anche i 'Billi'). L'affresco risulta eseguito in nove 'giornate' (si veda il grafico qui sopra); e, come si constata, le due teste di giovani astanti a sinistra, in costume quattrocentesco, forse ritratti dal vero, furono dipinte prima di quella di san Pietro, a cui seguì a sua volta la 'giorna-

ta' per il gruppo centrale di figure: ciò infirma l'ipotesi [Longhi, 1940] che quelle due teste siano opera di Filippino Lippi; e a Masaccio le riconosce ora anche il Bologna [1966]. Del resto è ben masaccesco il loro profilo di deciso disegno, apprezzabile soprattutto nella striscia della seconda testa che rimasta fino ai nostri tempi coperta da una cornice di marmo

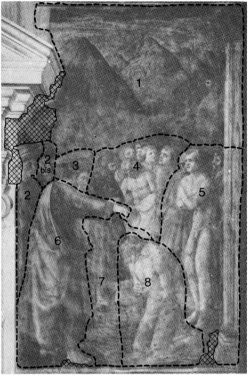

93

Grafici relativi alla stesura pittorica delle opere di cui ai n. 17 A (a sinistra) e 17 B (a destra). Le linee tratteggiate coincidono con i giunti delle varie 'giornate' d'affresco; le zone quadrettate, nel secondo grafico, corrispondono a lacune dell'originario intonaco dipinto. In entrambi i casi l'evidenza con cui si sovrappongono i giunti delle 'giornate' ha permesso di stabilire la successione secondo cui queste ultime sono state eseguite (a tale successione si riferiscono, appunto, i nostri numeri); l'unico dubbio concerne la 'giornata' 2 bis del secondo grafico, la cui determinazione non è sicura e che potrebbe, in realtà, essere tutt'uno con la 'giornata' contrassegnata col n. 2.

dell'altare, presenta la superficie netta da affumicamento e polvere, fornendo un'idea dello stato originario del ciclo. Le due teste, anzi, alla concentrata pensosità, dai nasi adunchi e dalle bocche serrate e amare, ricordano quelle che figuravano, in simile serie di profili, nella perduta Sagra allo stesso Carmine (n. 3).

Il Longhi assegnava invece a Masaccio le tre teste di astanti sulla sinistra della Predica di san Pietro, spettante a Masolino; ma esse sono di stesura indubbiamente diversa da quella delle due teste nel Battesimo, e possono ben convenire invece allo stesso Masolino: si confronti, per esempio, nella figura a tutta vista il mazzocchio condotto proprio come quello di uno dei due damerini a passeggio nel Tabita (n. 17 C). Tuttavia l'opinione del Longhi è seguita ancora oggi dal Parronchi [1966] e dal Bologna. A sua volta, ritornando al Battesimo, il Procacci [1951], seguito dal Parronchi, assegnava la testa di san Pietro e quelle di due astanti a Masolino. A nostro avviso, invece, va escluso ogni inserto reciproco nei due affreschi: la Predica è tutta di Masolino; così come il Battesimo, completamente di Masaccio; in quest'ultimo semmai Filippino Lippi poté ritoccare la figura di Pietro.

17 C [Tav. LXIV]

Il Brandi afferma che "lo stato precario di conservazione ... ha dato alla pittura un che di vaporoso che in origine non aveva", ma forse esisteva già dall'origine un effetto, fino a un certo grado, di 'prospettiva aerea', come se qualche vapore velasse l'atmosfera del valloncello dove avviene il battesimo. Un confronto con l'*Adorazione dei Magi* del polittico di Pisa (n. 10 J), rivela alcuni 'motivi' simili: nude colline e una testa di scorcio nel fondo, un astante barbuto, la coppia di ritratti contemporanei; ma nel *Battesimo* si ha l'impressione di uno stadio di anteriorità, per cui si conferma la cronologia entro il 1425.

17 🏛 ✴ — *1425* ▦ ⋮

C. ARCHITETTURE (nella RE-SURREZIONE DI TABITA).

L'assegnazione a Masaccio, avanzata dal Longhi [1940], dei casamenti nel fondo dell'affresco di Masolino, convince perché in Masolino non è mai stato prima e non ritorna poi un tale esatto e sensibile 'vedutismo; mentre Masaccio sappia-

mo che già nella *Sagra* (n. 3) aveva presentato la piazza del Carmine, e prosegue con lo stesso timbro prospettico [Linnenkamp, "DB" 1963] nel registro inferiore della stessa cappella Brancacci (n. 17). Anche il Salmi [1948] e lo Steinbart [1948] hanno accolto la proposta del Longhi; e gradualmente vi ha aderito il Procacci [1951 e 1965]. Buona la notazione del Parronchi [1966] che l'inserto masaccesco, "nel suo variare ... trasforma quella che in tutta la pittura precedente sarebbe rimasta una zona decorativa ..., in un brano di vita palpitante". Il Bologna [1966] e il Parronchi stesso seguono la proposta del Longhi anche per tutte le figurette in distanza, che risultano aggiunte con piccole toppe d'intonaco: e che lo studioso ha definito (da sinistra): "il vecchio che sermona" davanti all'uscio di casa, la "borghese" che rientra, "il bimbo, che seguito a un passo dalla zia beghina, frigna e si storce perché lo portano a' vespri", "il disoccupato bilioso"; però il carattere masolinesco delle figurette centrali, le

tre donne e il bimbo, in analogia col trittico già a Novoli (Firenze), appunto di Masolino è stato notato dal Salmi. Il Berti [1964] riporta lo schema delle 'giornate', da cui risulta che il fondo, escluse le figurette, fu eseguito in tre riprese; e che in una medesima 'giornata' sono inclusi il criticato portico a scatolone di destra, ma anche il bellissimo brano di strada adiacente. La data dell'inserto di Masaccio è da riferirsi, d'altronde nell'ambito delle considerazioni già fatte per gli affreschi del secondo registro, al 1425, prima di settembre. Ovviamente sono da considerare tramontate le attribuzioni a Masaccio di tutto l'affresco [Cavalcaselle; Schmarsow; Van Marle; Oertel] o di singole figure, quali lo storpio [Giglioli; Lindberg].

17 🏛 ✴ 255×598 ☐ ⋮ 1425*

D. IL TRIBUTO.

Si tratta della 'storia' più famosa ("tra l'altre notabilissima", dice già il Vasari) dell'intero ciclo. Sul fondo della pianura cinta da montagne, scan-

dita da file d'alberi (un tempo alcuni verdeggiavano di fronde), al centro si accampa l'episodio (Matteo, XVII, 23) del gabelliere, visto di schiena, che rivolge la richiesta di pedaggio a Cristo seguito dagli apostoli; il comando del Maestro è raccolto da san Pietro, che ne ripete il gesto con la destra (l'echeggiamento è già ravvisabile in una miniatura bizantina del sec. XI); e in tale direzione, dove si intravede la distesa delle acque, a una certa distanza si effettua il secondo tempo del prodigio, con "Piero ... il quale nell'affaticarsi a cavare i danari dal ventre del pesce, ha la testa focosa per lo stare chinato" [Vasari]. A destra, col pagamento da parte dello stesso Pietro, dinanzi a casamenti in prospettiva (la "domus" citata dal Vangelo), si conclude l'episodio. La possibile allusione più semplice e più convincente [Meiss, 1963; Berti, 1964] riguarda il Catasto, istituito nel 1427 ma già accolto concordemente dai dirigenti fiorentini nel 1424-25 [Procacci, 1954]. Se Felice Brancacci era stato dapprima contrario

a quella riforma di perequazione tributaria, ciò tuttavia non può far escludere che in seguito, dopo l'adesione generale al progetto, proprio nella sua cappella si alludesse al dovere politico-sociale più impellente in quei giorni a Firenze. Per Steinbart [1948] il *Tributo* rifletterebbe invece l'intenzione di Martino V di ristabilire l'autorità della Chiesa, e l'episodio del ritrovamento della moneta nel pesce sarebbe in rapporto coi nuovi interessi marittimi di Firenze, promossi dal console del mare Felice Brancacci. Per Meller [1961], la figurazione non si collegherebbe al noto passo di Matteo, "da' a Cesare ecc.", poiché la tassa da pagare per entrare in Cafarnao era invece quella destinata al tempio, e nemmeno però, all'esazione dei redditi ecclesiastici, tanto curata da Martino V; ma — secondo il passo evangelico come lo interpretava contemporaneamente sant'Antonino — alla "libertà della Chiesa": la quale, cioè, non deve desumere il danaro per i tributi dalla sua proprietà, ma *ex esterioribus*, vale a dire dai beni accettati da altri. Per Meiss [1963], seguendo l'interpretazione di sant'Agostino, il significato è religioso, di redenzione tramite la Chiesa. Secondo von Einem [1967] — che riporta l'anteriore tradizione iconologica — il valore esoterico risiede in un ribadimento di principî d'ordine politico-ecclesiastico; l'occasione sarebbe l'eresia degli hussiti e la reazione contro di essa patrocinata da papa Martino V e dal cardinale Branda Castiglione.

Il Salmi [1948] indica tracce di restauro nelle vesti, in qualche testa (come quella del gabelliere nel gruppo centrale), nel paesaggio; da notare poi la strana mancanza di aureole nei quattro apostoli a destra del gabelliere [Berti, 1964]. La zona coi gradini all'estrema destra è rifatta. Il Ragghianti [1960] pensa che i due alberi sopra Cristo non siano autografi. L'esame tecnico del Tintori [in Berti, 1964] indica la stesura in ventotto 'giornate' (si veda il grafico qui sotto); nel gruppo centrale

Grafico relativo ad alcune 'giornate' di affresco nel dipinto di cui al n. 17 C: la zona tratteggiata corrisponde all'attività di Masolino; *la restante (un'unica 'giornata'), a quella di Masaccio (per le convenzioni, si veda la didascalia a pag. 93).*

17 D [Tav. XXXVI-XLIV]

è da constatare che, eseguendo le teste — le abbia Masaccio iniziate da destra o da sinistra —, giunto a quella prossima a Cristo, il pittore ricominciò dall'estremo della fila opposta; poi i due gruppi furono saldati con la testa, appunto, del Redentore. Tale risultanza coinvolge anche il quesito dell'attribuzione di tale testa, che il Longhi [1940] assegnò a Masolino, supponendola però condotta per prima (1424) sulla parete, dove successivamente Masaccio, rimasto solo, avrebbe dipinto il resto dell'affresco. Il carattere masolinesco del brano viene inteso, da altri [Salmi; Procacci], come dovuto a un certo maggior idealismo che Masaccio avrebbe voluto attribuire al volto di Cristo; ma, se invece si ammette che la testa è stata dipinta da Masolino (così anche, probabilmente, per Berti, Meiss, Parronchi; e, certamente, per il Bologna), con intervento di una 'giornata', la data allora cade proprio, secondo la maggiore verosimiglianza, entro il 1° settembre 1425, quando Masolino partì per l'Ungheria.

Ne verrebbe quindi una precisa cronologia del *Tributo* al 1425 (il Salmi invece lo riferiva al 1427 e così anche il Meiss). Il Bologna [1966], convenendo col Longhi che l'affresco sia posteriore al ritorno di Masaccio da Roma, dopo il supposto viaggio del 1425 — e pertanto l'opera riecheggerebbe quell'esperienza nel gruppo centrale, "un vero Colosseo d'uomini" —, giunge a supporre che "Masolino, morto Masaccio, fosse chiamato a restituire dolcezza al volto del Cristo, sostituendo con una sua attenuata verità chissà che insostenibile grinta"; ma la tesi — a parte che non è provato il ritorno di Masolino a Firenze dopo il 1428 — appare inverosimile anche considerando come, nella *Crocifissione* del polittico di Pisa (n. 10 B) o nella *Trinità* (n. 21), Masaccio sapesse dipingere il Cristo non certo sconvenientemente. Si può pensare invece che, per qualche particolare ragione — suggellare con la testa più importante la composizione, o dipingere quasi come per voto la figura del Redentore, accingendosi ai rischi del viaggio

in Ungheria, — Masolino abbia operato tale intervento, parallelo del resto a quello che Masaccio compiva frattanto al centro del suo affresco corrispondente, dedicato a Tabita (n. 17 C). Si aggiunge infine che nella figura dell'apostolo (Tommaso?) all'estrema destra del gruppo — apostolo che si vuole sia quello indicato dal Vasari come autoritratto di Masaccio eseguitosi allo specchio (ma l'indicazione vasariana è più generica) —, si tende oggi a individuare invece il Brancacci [Salmi; Meller]; mentre l'autoritratto di Masaccio è stato supposto nello scomparto sottostante, del *San Pietro in cattedra* (n. 17 G). Meiss [1963] ha illustrato iconograficamente lo schema pressoché circolare del gruppo al mezzo del *Tributo*: esso deriva dal 'motivo' a emiciclo di *Socrate e i sei discepoli* passato nell'arte paleocristiana come Cristo e gli Apostoli, innestandosi poi con lo schema geometrico-simbolico del circolo perfetto caro al primo Rinascimento, cominciando dal Brunelleschi.

17 ⊞ ⊕ 230×162 □ :
1426-27*

E. LA DISTRIBUZIONE DEI BENI E LA MORTE DI ANANIA.

A destra dell'altare, è intimamente collegata alla 'storia' di sinistra, *San Pietro che risana con l'ombra*, trattandosi di due episodi contigui negli *Atti degli apostoli* (IV, 32-7; V, 1-16): "E la moltitudine de' credenti era un cuor solo e un'anima sola: né alcuno c'era che considerasse come suo quel che possedeva, ma avevan tutto in comune ... or non c'era alcun bisogno tra essi, perché tutti quelli che possedevan poderi e case, li vendevano, e portavano il prezzo delle cose vendute, e le mettevano a' piedi degli apostoli; poi si distribuiva a ciascuno, secondo il bisogno ..."; e segue, appunto, la vicenda di Anania, il quale aveva venduto un campo, dichiarando però alla comunità solo parte del ricavato; rimproverato da san Pietro, cadde fulminato (e così, dopo, la moglie sua complice), sì che "gran paura ne venne a tutta la Chiesa e a tutti quelli che udirono tali cose. E si facevano

per le mani degli apostoli molti segni e prodigi tra il popolo ... tanto che portavan fuori nelle piazze gl'infermi su lettucci e strapunti, affinché, quando Pietro passava, almeno l'ombra sua ne coprisse qualcuno, e fossero liberati dalle loro infermità ...". Non si tratta, dunque, propriamente di un'elemosina, come di solito si interpreta; e la veduta di campagna, come i casamenti, alludono forse ai "poderi e case" venduti a pro della comunità. Sembra piuttosto ribadita — tramite un esempio di estremismo comunitario primocristiano e una punizione divina del falso dichiarante — l'esortazione al Catasto già immessa nel *Tributo* [Berti, 1964]: "Catastus est alluminare substancias, unitatem dare populo et scandala tollere ...", come allora si dichiarava a Firenze. Poiché il Catasto fu deciso nella primavera del 1427, e poiché nel 1426 Masaccio era impegnato dal polittico di Pisa e il Brancacci si trovava assente da Firenze, la cronologia che si potrebbe dedurre per l'affresco è appunto il 1427, forse nel periodo favorevole alla pittura in fresco. Una cronologia 1427-28 era del resto asserita dal Salmi [1948]; il Bologna [1966] scorge invece contemporaneità col polittico di Pisa (1426), a nostro avviso meno avanzato stilisticamente (si confrontino le architetture e il paesaggio, ben più dettagliati che nella predella pisana [n. 10 D-K]; è giusta però l'osservazione del Bologna che il lavoro per Pisa non escludeva la prosecuzione della cappella Brancacci); mentre concorda sul 1427 il Parronchi [1966], che illustra anche con un grafico l'unità di "costruzione prospettica intersecata" delle due 'storie', di Anania e di Pietro che guarisce con l'ombra. Indubbiamente esiste una cesura tra gli affreschi del registro inferiore e di quello superiore, essendosi notato qui, e specie nella presente composizione, precorrimenti di valori tonali e di tocco. Tranne ridipinture nel corpo di Anania e qualche abrasione sul margine di sinistra, l'opera viene considerata in buono stato: le 'gior-

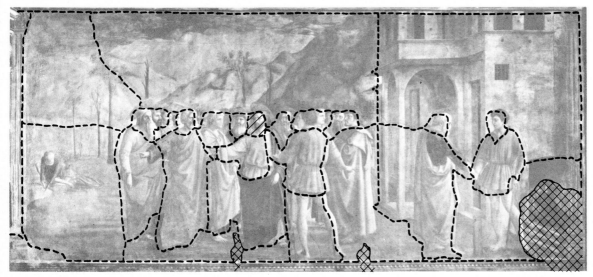

Grafico illustrante le 'giornate' della stesura nell'affresco n. 17 D (valgono le medesime convenzioni che nei grafici pubblicati a pag. 93). Poiché la testa del Redentore viene estesamente attribuita a Masolino, la 'giornata' corrispondente è indicata a tratteggio.

17 F [Tav. IL-LII]

17 E [Tav. LIII-LVI]

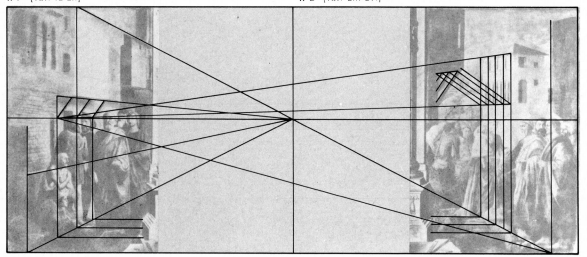

Impianto prospettico intersecato, relativo agli affreschi di cui ai n. 17 E e 17 F, dovuto al Parronchi [da Masaccio, Sadea-Sansoni, Firenze 1966] (il grafico viene presentato, qui, con lievi semplificazioni). Lo studioso coglie gli intimi rapporti strutturali intercorrenti fra le due 'storie' ai lati dell'altare, rilevando i legami geometrici per cui esse possono considerarsi come un'unica composizione, sebbene siano state costruite per essere guardate da due punti di vista diversi: la Distribuzione dei beni, in asse con l'edificio d'angolo al centro, dall'ingresso a destra della cappella; il Risanamento con l'ombra, dal centro, a distanza ravvicinata".

nate' esecutive risultano dieci [Berti, 1964]. Meller [1961] pensa che la figura in rosso inginocchiata, e semicelata tra san Pietro e la donna col bambino, possa essere o il cardinale Rainaldo Brancacci, di carità famosa, o il cardinale Tommaso Brancacci, mediatore in Curia per i fiorentini (ma personaggio moralmente piuttosto dubbio).

17 ▦ ✛ 230×162 1426-27* ☐ ⋮

F. SAN PIETRO RISANA GLI INFERMI CON LA PROPRIA OMBRA.

Per il collegamento con la 'storia' di Anania, si veda il n.

17 E. Meller [1961] pensa che nell'affresco si trovino alcuni ritratti: colui che accompagna san Pietro, sulla sua destra, con cappuccio rosso, raffigurerebbe Masolino (e in effetti presenta riscontri con l'effige del pittore pubblicata nelle *Vite* del Vasari); la figura di san Giovanni avrebbe i lineamenti di Masaccio; il miracolato in piedi a mani giunte raffigurerebbe Donatello; si potrebbe però identificare altrimenti Donatello (invecchiato e reso canuto, così come Masaccio è reso biondo, mentre forse a Masolino si sono dati barba e baffi che non aveva) nel terzo accompagnatore dell'apostolo, un po' più indie-

tro nella strada (si vedano le sembianze di Donatello, appunto, nei *Cinque fondatori dell'arte fiorentina* al Louvre, attribuito a Paolo Uccello; dipinto questo di cui ricordiamo, nell'occasione, che fu assegnato dal Vasari [1550] a Masaccio stesso; e che il Lanyi lo crede in relazione con i ritratti nella *Sagra* [n. 3]). Cosicché figurerebbero qui i due pittori attivi nella cappella; mentre Donatello forse vi aveva condotto il tabernacolo originario per la *Madonna del Popolo* all'altare; ed è stato anche supposto [Pope-Hennessy] che il suo rilievo con l'*Ascensione e consegna delle chiavi a san Pietro*, oggi al Vic-

toria and Albert Museum, appartenesse in origine a quel tabernacolo. (Sul rapporto Masaccio-Donatello, in generale, e sul particolare valore della ritrattistica attinta, da ambedue questi maestri, dal vero e da personaggi contemporanei amici, si veda Berti [1966]). Il Parronchi [1966] pensa invece che l'effigiato nel san Giovanni sia il fratello di Masaccio, appunto Giovanni detto lo Scheggia, "che in ragione di questo soprannome deve aver avuto il volto leggermente asimmetrico". Le 'giornate' esecutive risultano nove [Berti, 1964]. Quanto allo stato di conservazione, nel palazzetto a sinistra appare rifatta

una zona del bozzato sopra la porta, della quale è interessata dal rifacimento pure la parte alta, così che non sappiamo quale fosse l'altezza originaria. Sono inoltre segnalati ritocchi nella zona inferiore e danneggiamenti nella testa di Giovanni.

17 ▦ ✛ 230×598 1427-28* ☐ ⋮

G. LA RESURREZIONE DEL FIGLIO DI TEOFILO E SAN PIETRO IN CATTEDRA.

L'episodio è attinto dalla *Leggenda aurea* (XLIV): il prefetto di Antiochia, Teofilo, che aveva fatto imprigionare san Pietro, lo liberò per intervento di san Paolo purché risuscitasse suo figlio morto da quattordici anni; il miracolo fu compiuto, e Teofilo si convertì con tutti gli antiochiesi e costruirono una chiesa, dove posero san Pietro in cattedra. Rimandiamo al grafico (qui sopra) per la distinzione, ormai pacifica (tranne qualche punto minore), della parte di Masaccio da quella successiva di Filippino Lippi, e per le varie 'giornate' esecutive (sull'intervento di Filippino — nel 1481-82 c. o 1484-85 — si vedano Hamman [1941], Berti - Baldini [1957], Fiocco [1957], Gamba [1958], Ragghianti [1960]; circa taluni aspetti particolari, si veda Berti [1964]. Meller [1961] ha indicato piuttosto convincentemente alcuni ritratti, comprovanti un intento di simbologia politica: la testa di carmelitano, unica di Masaccio nel gruppo di sinistra (ma alcuni studiosi non l'accolgono), raffigurerebbe il cardinale Branda Castiglione, uno dei mediatori pontifici nel conflitto tra Firenze e Milano; Teofilo sul trono a nicchia sarebbe Gian Galeazzo Visconti, il grande nemico di Firenze; Coluccio Salutati, il cancelliere autore del sonetto d'invettive contro il signore di Milano, si dovrebbe ravvisare nella figura seduta proprio sotto Teofilo, a destra. Inoltre, dalla parte opposta, intorno a san Pietro in cattedra, sarebbero presentati il Brunelleschi (all'estrema destra; ma il Baldini suppone che la testa sia interamente rifatta) e Masaccio, rivolto allo spettatore, cioè un autoritratto condotto allo specchio [Salmi, 1929 e 1948]. Quanto allo stato d'incompiutezza in cui Masaccio lasciò il dipinto, è spiegabile con la partenza improvvisa del pittore per Roma (1428); ma non è da trascurare anche l'altra ipotesi, risalente al Brockhaus [1930], che l'affresco fosse invece stato completato, e una parte delle figure venisse successivamente eliminata, alla condanna dei Brancacci — qui effigiati con vari amici — quali antimedicei (1434-36). Certo è strano che, saputa la morte di Masaccio, i Brancacci lasciassero il lavoro incompiuto fino al 1434, tale rimanendo poi per oltre cinquant'anni; e sono strani anche i particolari di condotta tecnica come la testa isolata a sinistra (mentre di solito le teste si conducevano in successione). Quesito particolarmente interessante è comunque l'immaginarsi in qual modo Masaccio avesse ideato nella completezza la composizione, con la figura del giovinetto risuscitato: secondo il Salmi [1948] e il Mariani [1957] essa corrispondeva a come poi fu resa da Filippino; per la Becherucci e il Berti [1964] la figura poteva invece comparire su

96

17 G [Tav. LVII-LXIII]

un catafalco posto in scorcio, anticipando cioè un motivo di grande forza, successivamente ripreso da Piero della Francesca, Andrea del Castagno e altri. Concorde il riferimento cronologico agli anni estremi del pittore, 1427-28. Nell'emiciclo convesso di figure intorno a Pietro in cattedra la potenza ritrattistica è dif⁻'' ormai già allineata a quel della *Trinità* (n. 21); mentre r⌐¹ gruppo a sinistra, presso Teofilo, si procede a caratterizzazioni di ampia libertà pittorica, in potenti 'maschere'. Solenne appare anche l'impostazione architettonica, in cui è da chiedersi se l'edificio brunelleschiano che si inoltra al di là del muro di cinta, a sinistra, non si spingesse più in profondità, come fanno sospettare talune rigature sull'intonaco; così come una quinta corrispondente di edifici poteva figurare tra l'ultimo albero di destra e la tettoia sotto cui si trova san Pietro. In tal modo, oltre il muro di recinzione scandito da specchi marmorei e sormontato da tondi vasi (motivo originale di Masaccio, e non di Filippino, perché ripreso dall'Angelico, per esempio, nell'*Imposizione del nome al Battista* di San Marco a Firenze), veniva allusa

la maestà architettonica dell'antica Antiochia, mentre alberi lussureggianti (essi pure saranno ripresi dall'Angelico) ne suggerivano la natura mediterranea. (Per possibili rifacimenti o ripassature di tale zona, si vedano però Steinbart [1948] — per il quale il fondo originale doveva presentarsi come nel *Tributo* — e Meiss [1963]).

20 ▨ ⊕ ——— ▤ °°°
IL GIUDIZIO UNIVERSALE [?]. Già a Firenze, Convento degli Angeli.

È citato soltanto dall'Albertini [1510], senza specificare chiaramente il tema (quello suddetto è soltanto supposto), nel secondo chiostro del convento degli Angeli a Firenze. Pope-Hennessy [1952] pensa che ne risenta il *Giudizio* di Giovanni di Paolo nella Pinacoteca di Siena (N. 172), caratterizzato da potenti invenzioni di nudo.

21 ▦ ⊕ 667×317 1426-28* ▤ ⁝
LA TRINITÀ. Firenze, Chiesa di Santa Maria Novella.

L'affresco è citato già dalle fonti prevasariane ['Billi'; Albertini; 'Anonimo Magliabechiano'], e dal Vasari con dettagli ed elogi per la prospettiva architettonica illusionistica ("che pare che sia bucato quel muro"). Il punto preciso di ubicazione, dove oggi si trova, era "a meza chiesa dietro al pergamo", cioè nella parete della terza campata della navata di sinistra, sotto la finestra, ma un poco spostato, per chi guarda, verso sinistra. Risulta altresì — dall'e-

splorazione che è stata compiuta della parete, in occasione della scoperta del frammento sottostante, con la Morte [Procacci, 1951] — che venne dipinto da Masaccio su due precedenti affreschi, e chiudendo in alto con un soprammattone lo strombo, originariamente molto più basso, della finestra soprastante. Le vicende successive appaiono oscure a proposito di un altare vero e proprio, recante il Crocifisso scolpito in legno (oggi in sagrestia) di Maso di Bartolomeo — lui pure detto Masaccio, il che può essere stato elemento di confusione nell'attestazione delle fonti —, che si asserisce essere stato nel medesimo punto. Comunque risulta che al tempo del Vasari (1567 c.) le figure dei due oranti inginocchiati erano parzialmente coperte "da un ornamento messo d'oro"; mentre la cronaca di M. Biliotti [tardo '500] preciserebbe che presso all'affresco compariva il suddetto Crocifisso ligneo dell'altro Masaccio. L'ipotesi potrebbe essere dunque di una sovrapposizione, posteriore, di un altare alla pittura masaccesca. Altri, recentissimamente, pensa invece che l'affresco fiancheggiasse l'altare vero e proprio; il che non ci

pare verosimile perché la mole del dipinto è troppo grande per tale funzione di fiancheggiamento, e affresco e altare affiancati risulterebbero disarmonici e troppo ingombranti. Si può invece supporre che, in occasione di officiature, all'affresco venisse almeno in un primo tempo anteposta una mensa portatile, come pare fosse uso; e magari che il Crocifisso ligneo (peraltro databile nel secondo quarto del '400, quindi posteriore al dipinto) fosse usato allora dinanzi a questo; poi si sarebbe soprammesso un tabernacolo stabile con il Crocifisso stesso. È da notare anche che Vasari non cita (a differenza delle fonti precedenti) la Morte dipinta in basso, sotto la finta mensa d'altare, forse coperta proprio nel mutamento avvenuto, in precedenza, nel sec. XVI. Nel 1565, quando cominciarono i lavori di rimodernamento della basilica, il Crocifisso ligneo dovette essere stato portato in sagrestia; nel 1568, poi, l'altare venne dedicato alla Madonna del Rosario da Cammilla Capponi. Proprio il Vasari ne dipinse nel 1570 la tavola relativa, inserita in un nuovo altare di pietra, che coprì del tutto l'opera di Masaccio. Se egli, per non danneggiare l'affresco, evitò di romperlo incassandovi i correnti posteriori della propria tavola [Procacci, 1956], e se, sempre per tale fine, spostò leggermente rispetto alla finestra il nuovo altare (così come era spostato il dipinto masaccesco), va tenuto conto che a ciò lo costringeva anche l'ammirazione pubblica per Masaccio e le proteste, attestate dal Biliotti ("in nova ecclesie accomodatione ... et figure multe delete, non tamen sine multorum dolore, quippe que pulcre erant, et pulcherrime edi magnum decus afferebant et ornamentum. Affirmant qui affuere, quasdam earum post altare rosarii tabulam in pariete consulte dimissas"). L'affresco venne riscoperto nel 1861 [in Cavalcaselle, 1883], staccato e trasportato nella parete di retrofacciata della basilica; da dove solo nel 1952 — rimosso l'altare costruito dopo il 1861, in sostituzione di quello vasariano —, è stato ricomposto con la Morte sottostante nel luogo originale, essendosi reperite indicazioni

18 ▨ ⊕ ——— ▤ °°°
SAN PIETRO. Già a Firenze, Collezione de' Medici.

Con l'opera successiva figura nell'inventario (1492) della collezione di Lorenzo il Magnifico: "Dua quadri di legname sopra al chammino, dipintovi uno Sam Piero e uno Sancto Pagholo di mano di Masaccio", stimati soltanto 12 fiorini. Poteva trattarsi di due copie dalle figure di Masaccio e Masolino affrescate nella cappella Brancacci (n. 17 A-G).

19 ▨ ⊕ ——— ▤ °°°
SAN PAOLO. Già a Firenze, Collezione de' Medici.

Per ogni ragguaglio, si veda n. 18.

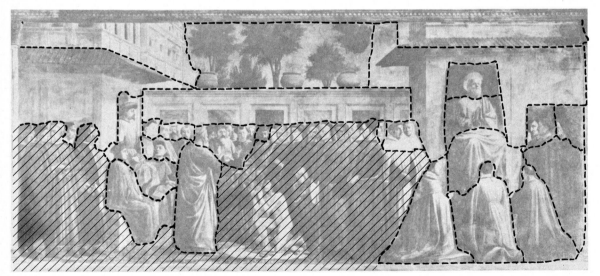

Grafico relativo alla stesura pittorica dell'opera di cui al n. 17 G. La zona tratteggiata si riferisce all'attività prosecutoria di Filip-pino Lippi; nelle parti restanti, dovute a Masaccio, sono indicati i giunti delle 'giornate' d'affresco.

precise in alcuni resti sulla parete. Un grafico del restauratore Tintori [in Berti, 1964] indica sia le 'giornate' di esecuzione, sia quanto è rimasto di veramente originale dell'affresco. Le 'giornate' risulterebbero circa venticinque, esclusa la base, e dimostrano come particolare cura venisse concentrata anche nei particolari architettonici, capitelli, mezze volte ecc. Le lacune e i conseguenti rifacimenti interessano l'architrave, il pilastro, particolarmente a sinistra, una notevole parte delle figure degli oranti e una zona di quella stessa figura della Madonna, tutto il secondo gradino su cui poggiano gli oranti testé accennati, nonché parecchio della zona inferiore con la Morte. Qui la ricostruzione è piuttosto ardua [Berti, 1964]: si aveva una mensa d'altare finta in aggetto e, sotto, il sarcofago con lo scheletro della morte? o una mensa reale, poggiante, dinanzi, su due colonnini autentici, corrispondenti a quelli dipinti? La Schlegel [1963] — che contro la seconda ipotesi obietta la maggiore coerenza di un insieme tutto illusionistico — ha presentato a sua volta una ricostruzione in cui, facendo più alti i

colonnini e la mensa, viene eliminato un gradino, cosicché gli oranti posano direttamente sul piano della mensa: collocazione, però, che ci sembra poco confacente (non ci si inginocchia su una mensa d'altare). Infine, quanto alla conservazione dell'originale, il Procacci scrive: "mentre si riteneva che l'opera fosse in stato di conservazione miserando ..., invece ... per fortuna, le cattive condizioni ... dipendevano specialmente da sostanze che vi erano state distese sopra durante i lavori di trasporto eseguiti nell'Ottocento".

Problematici e dibattuti sono anche il preciso significato dell'affresco, la datazione, il punto stilistico, specie nella relazione

tra Masaccio e Brunelleschi. Le fonti parlano semplicemente di Trinità [Albertini], semmai considerando anche che le figure di Maria e Giovanni fiancheggiano Cristo come crocifisso ['Billi'; Vasari]; ma esegeti recenti hanno voluto vedere anche tutta un'allusione alla doppia cappella di tradizione medievale del Golgota, quella con la cima del monte e quella inferiore dov'era la tomba di Adamo, qui rappresentata appunto dallo scheletro, in basso [Tolnay, 1958; Schlegel, 1963]; o invece al Thronus Gratiae [Gnadenstuhl] costituito dalla Croce, con Dio che appare come Giudice (Padre) e Crocifisso, mentre la Madonna e san Giovanni non sarebbero assistenti, bensì intercessori, per gli oranti che invocano la salvezza delle proprie anime [Simson, 1966]; o ancora, al Corpus Domini [Gilbert, comunicazione orale, 1968]. Tuttavia, specie circa quest'ultima tesi, occorrerà ricordare che l'intitolazione originale dell'altare, quale appare nelle cronache del Biliotti e del Borghigiani, risulta proprio alla Trinità e non ad altro.

Quanto alla data, è stata variamente dedutta mediante considerazioni stilistiche e riferimenti a dati esterni. Questi ultimi consistono intanto nella notizia (ma di fonti più tarde) che l'altare della Trinità fu eretto da fra' Lorenzo Cardoni, il quale era priore di Santa Maria Novella dal 1423 al '25 (anzi, il suo priorato per la verità si prolungò anche in un certo periodo del 1426); poi, nella supposizione che l'orante effigiato non sia un membro della famiglia Cardoni — come si era creduto —, ma un Lenzi in abito di gonfaloniere. Tuttavia il Lorenzo Lenzi fu gonfaloniere nel 1425 e si occupò della festività del Corpus Domini in relazione con Santa Maria Novella, morto nel 1442, risulta sepolto in Ognissanti [Gilbert, "BM" 1968]; men-

tre presso l'affresco di Santa Maria Novella era la tomba di un Domenico Lenzi e famiglia, con la data 1426 [Simson; Gilbert]. D'altra parte, è stato anche considerato — poiché molti studiosi concordano in un intervento di decisivo rilievo da parte del Brunelleschi, nel perfettissimo impianto prospettico dell'affresco [Berti, 1964] — che in Santa Maria Novella, oltre al Cardoni, si trovava allora un fra' Alessio Strozzi (il quale doveva succedere come priore al Cardoni, ma si fece esonerare), che testimonianze contemporanee dicono persona di estesa, vivace e avanzata cultura, anche figurativa, intendente di oreficeria e architettura, teologo ma anche amico e autorevolissimo consigliere, per l'appunto, di Ghiberti e Brunelleschi. Pertanto può essere indiziato lo Strozzi di aver chiamato, tramite il Brunelleschi, Masaccio a dipingere l'affresco [Berti, 1964; Simson, 1966]. Crediamo in complesso si possa concludere che, in base a considerazioni esterne, una precisa cronologia dell'affresco non è però definibile. Della seconda metà del 1425 [Borsook, 1960; Gilbert; Parronchi], in relazione al gonfaloniere Lenzi e al Cardoni? del 1426, in relazione alla tomba dell'altro Lenzi [Brandi], così come, d'altronde, al proseguimento del priorato del Cardoni? della prima metà del 1427 [Procacci, 1951]? (è da notare, infatti, che la data tombale 1426 poteva corrispondere, more fiorentino, anche ai primi mesi del 1427). Nulla vieta in realtà che l'affresco, anche se l'altare fu ideato durante il priorato del Cardoni, sia stato costruito dai Lenzi, e magari qualche tempo dopo la loro lastra tombale. Ne deriva che non si può prescindere dall'altra e forse più stringente indicatività che viene dal fatto stilistico [Berti, 1964]. Ora, che Masaccio, dopo essere giunto all'ardua e suprema esattezza della Trinità — non solo nella prospettiva, ma nelle figure stesse: di cui la Vergine impostata, prima dell'Alberti, tramite il 'velo' e la quadratura, come rivelano sulla superficie dipinta, le testimonianze di tale procedimento — sia 'regredito' alle posizioni più 'empiriche' del polittico di Pisa (n. 10 A-K), o addirittura a quella dei primi affreschi del Carmine (n. 17 A-D), non pare verosimile. Pertanto la Trinità dovrebbe spettare, se non al 1427 o all'inizio del '28, a dopo il polittico di Pisa e, almeno, dopo l'ordine superiore nel Carmine: collocazione in cui d'altronde la scorgono anche, fra i critici più recenti, il Salmi [1948 (datando 1427-28) e 1967 (datando 1428)], il Baldini e il Bologna. Altrettanto probabilissima è, a nostro avviso, la collaborazione del Brunelleschi [Reymond; Kern; Frey; e Sanpaolesi, 1962; Gioseffi; Parronchi] (respinta da Mesnil, Oertel, Pittaluga, Salmi], per l'evidente complessa perfezione dell'impianto prospettico (si vedano gli schemi di Kern [1913] e Sanpaolesi, riportati anche in Parronchi [1966]); tesi a cui ora è d'appoggio anche la considerazione della presenza a Santa Maria Novella, di fra' Alessio Strozzi (circa talune fragili obiezioni mosse alla tesi dell'intervento brunelleschiano, e i riferimenti ad altre architetture del tempo, quali il tabernacolo della Mercanzia, costruito a Firenze nel 1423 da Dona-

La parete dietro il dipinto n. 21. Oltre alle tracce d'un precedente affresco, scalpellinato, conserva resti dell'opera stessa di Masaccio, e sulla loro base è stato possibile ricollocare nel luogo originario la Trinità.

tello e Michelozzo, e la cappella Barbadori in Santa Felicita della stessa città, si veda Berti [1964]). Interpretazione iconologica, dati storici e ipotesi cronologiche sono secondari comunque per il valore di questo capolavoro di Masaccio, diremo il più esemplare e completo di lui in senso rinascimentale, quasi un preciso manifesto della nuova pittura. In estrema sintesi, in un sacello architettonico di pieno stile umanistico (e quale il Brunelleschi materialmente non aveva ancora potuto realizzare), una struttura ascensionale e triangolante di figure va dall'immagine dello scheletro, in basso — con la scritta: "IO. FV. GIA. QVEL. CHE. VOI. SETE: E QVEL CHI SON VOI. ANCOR. SARETE" (per i cui aspetti paleografici si vedano Meiss [1960] e Covi [1963]) —, alla coppia di oranti, a quella — invertita — dei dolenti (per non creare ripetizioni di figure dello stesso tipo), fino alla Trinità (dove il Crocifisso masaccesco riprende da quello ligneo del Brunelleschi nella stessa basilica). Ma unità modulare, anche per i membri architettonici, è la figura umana, che negli oranti risulta delle stesse dimensioni, per la prima volta, delle persone divine. Dunque, la sintesi spaziale dell'architettura, come la sintesi dei vari gradi

Il dipinto di cui al n. 21 e la parete circostante [da Borsook, The Mural Paintings of Tuscany, Phaidon, London 1960].

21 [Tav. XXVII-XXXII]

dell'essere — dalla Morte all'uomo-Dio, fino al Dio che della Morte è l'opposto — si presenta secondo un'assoluta 'dimensione umana', analogamente a quanto avrebbe affermato la filosofia umanistica di un Cusano: "Humanitatis unitas cum humaniter contracta existat, omnia secundum hanc contractionis naturam complicare videtur ... Potest igitur homo esse humanus Deus atque Deus humaniter ...". Nella *Trinità*, d'altra parte, si può constatare una svolta dello stile di Masaccio: al Carmine prevaleva un'intuizione plastica, potenziata dal forte chiaroscuro che quasi sferzava i volumi dell'oggetto, mentre la linea aveva tensioni dinamiche, col risultato espressivo di una 'storia' drammaticamente e tangibilmente in azione, mossa dalla volontà; ora, invece, si perviene a un predominio disegnativo, a una severa, pacata e più distanziata oggettività, nella calma anche della luce che illumina di fronte, decrescendo in armonia con l'inoltramento prospettico. È evidente che con ciò si accentua l'ascendente, su Masaccio, della costellazione di Brunelleschi rispetto a quella, prevalente in precedenza, di Do-

natello. Inoltre la *Trinità*, con la sua solenne coesistenza e commisurazione dell'uomo entro l'architettura, fu un punto fondamentale donde si diramarono grandi vie rinascimentali di sviluppo, ben oltre la scuola fiorentina [Schlegel]; e basti pensare che questa fu probabilmente l'opera di Masaccio che più colpì, come nuova rivelazione strutturale e metodica, l'Alberti.

22 ▦ ✪ diam. 56 ☐ ⋮ *1427-28*

A. NATIVITÀ. Berlino, Staatliche Museen.

Di sicuro corrisponde al dipinto (avente sul retro il Putto di cui al n. 22 B), citato [Gherardi - Dragomanni] nel 1834 a San Giovanni Valdarno in proprietà Ciampi, a cui si voleva dare un'interpretazione anche simbolico-politica: si tratterebbe del parto di sant'Anna con l'omaggio della Repubblica fiorentina, mentre nel retro il Putto con la faina (ma non è un semplice cagnolo?) sarebbe allusivo al duca d'Atene che tentava di blandire Firenze. Tutta codesta simbologia (si aggiunga che l'edificio raffigurato alludereb-

be a Orsanmichele) lascia però piuttosto scettici, e meglio è attenersi all'evidenza dell'avvenimento profano raffigurato, "espressione di quella vita fiorentina che era già stata fermata dall'artista nella *Sagra* del Carmine. Ma nel distrutto affresco egli aveva riprodotto una pubblica cerimonia: qui ci apre la porta di una bella casa di gusto brunelleschiano ..." [Salmi]. Da

escludere invece l'identificazione col dipinto citato in antico [Bocchi; Bocchi - Cinelli; Baldinucci] in casa di Baccio Valori a Firenze: "un parto di una santa di mano di Masaccio di gran bellezza di vero; dove oltre la donna di parto, che è fatta con somma diligenza, è bellissima una figura che picchia un uscio, e dentro a una paneretta, che ha in capo, porta un cappo-

22 A

22 B

Copia (di ignoto del sec. XIX) del dipinto di cui al n. 22 B (Firenze, Proprietà privata).

ne ...". Il desco fu acquistato a Firenze dal Museo nel 1883.

L'attribuzione è stata generalmente accolta [Müntz; Bode; A. Venturi; Schubring; Salmi; Longhi; Berenson], tuttavia con eccezioni e differenti proposte: Morelli [1893] lo assegna ad Andrea di Giusto; Brandi [1934], a Domenico di Bartolo; la Pittaluga [1935], ad anonimo fiorentino del 1430 circa; Procacci [1951], a scuola fiorentina del quarto decennio del secolo; Ragghianti [1952], a Domenico Veneziano; mentre Meiss [1964] e Shell ["FM"] lo riferiscono a subito dopo il 1440. Nella critica più recente la tesi masaccesca sembra però riprendere nonostante tali dubbi [Baldini; Berti; Parronchi]; la confortano il ricordo della perduta *Annunciazione* di San Niccolò (n. 24), che doveva presentare una costruzione architettonico-prospettica, seppure non identica, analoga; la tipologia di alcune figure come il trombettiere, può riscontrarsi benissimo col giovane a mani giunte nell'*Adorazione dei Magi* (n. 10 J) di Berlino (o si confronti anche il neonato in fasce col Bimbo della piccola *Madonna* n. 11); del resto, tutta la tipologia delle figure è più vicina a Masaccio che a qualsiasi altro maestro. La provenienza da San Giovanni Valdarno si rivela d'altra parte elemento da non trascurarsi (è improbabile che un dipinto di così alta qualità, se di diverso autore, fosse finito nella cittadina valdarnese); mentre il *Putto* sul retro, sebbene con scadimenti qualitativi dovuti alla bottega, riconferma, specie nella testa, un deciso carattere masaccesco (come cosa di Masaccio e aiuto viene accolto anche da Meiss [1964]). L'opera si qualifica non già giovanile o del 1425 [Lindberg]; ma del 1427 circa [Mesnil; Salmi], e forse addirittura del tardo 1427 o primo '28 [Berti]. Una volta poi ammesso — rammentando altresì il suddetto dipinto consimile attestato in casa Valori — che all'occorrenza Masaccio si esprimesse pure in termini più piacevolmente narrativi, mondani, come appunto avviene nel presente tondo, si può valutare comunque come egli recasse nel 'genere' novità fondamentali. Molto probabilmente questo fu infatti il primo desco da parto non goticamente poligonale, ma circolare; e da ciò — trasferendo la visione nel *plein air* — derivò il tondo di Berlino attribui-

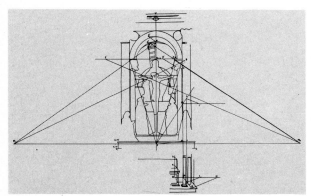

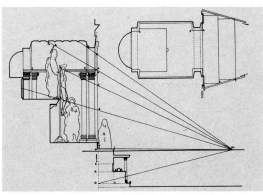

(A sinistra) Impianto prospettico della Trinità *(n. 21), secondo il Sanpaolesi [da* Brunelleschi, *Club del Libro d'Arte, Milano 1962]. (A destra) Sezione e pianta (all'altezza dell'innesto dell'arco anti-stante sui capitelli delle colonne) ideali dello stesso affresco, pure dovute al Sanpaolesi [ibid.], a parere del quale l'ambientazione dell'opera spetta senz'altro all'architetto Filippo Brunelleschi.*

Tentativi di ripristino ideale del dipinto n. 21, partendo dal presupposto (a sinistra) che, fra le due zone dell'affresco, si trovasse un vero e proprio piano d'altare sorretto da colonnine, ovvero che tale mensa fosse dipinta con intenti illusori (al centro) [da Schlegel, 1963]. - (A destra) Grafico relativo ai caratteri tecnici dello stesso dipinto: giunti delle 'giornate' e lacune.

to a Domenico Veneziano; così come da esso e da affini lavori illustrativi masacceschi poterono partire per ulteriori sviluppi i pittori rinascimentali; tra i primi, l'Angelico delle affascinanti predelle espresse dal 1432-33 in poi.

22 ⊞ ⊘ diam. 56 *1427-28* ⬜ :

B. PUTTO CON CAGNOLO [?]. Berlino, Staatliche Museen.

Tergo del dipinto n. 22 A, al quale si rinvia per ogni notizia.

---

23 ⊞ ⊘ ——— ⬜ :

"SCHERMAGLIA". Già a Firenze, Collezione de' Medici.

Desco da parto citato, col tema suddetto e con la valutazione di 2 fiorini, nell'inventario (1492) della collezione di Lorenzo il Magnifico.

24 ⊞ ⊘ 1427-28 ⬜ :

L'ANNUNCIAZIONE. Già a Firenze, Chiesa di San Niccolò.

Citata dal Vasari [1568] al tramezzo della chiesa di San Nic-

25

colò a Firenze: "oltre la Nostra Donna, che vi è dall'angelo annunziata, vi è un casamento di colonne tirato in prospettiva, molto bello; perché oltre il disegno delle linee, che è perfetto, [Masaccio] lo fece di maniera con i colori sfuggire, che a poco a poco abbagliatamente si perde di vista; nel che mostrò assai d'intender la prospettiva". L'opera risulta connessa alla cappella dell'Annunziata, che un Michele Guardini beccaio (ma che era stato priore delle Arti) dotò riccamente col testamento del 5 marzo 1427 [Parronchi, 1966]: di una cronologia dunque assai inoltrata nel corso di Masaccio, come già indicato anche dal Berti [1964], mentre altri l'aveva riferita al soggiorno nella parrocchia di San Niccolò (1422). Nel rimodernamento della chiesa, intervenuto però poco dopo l'uscita delle Vite vasariane, il dipinto scomparve, e in sua vece ne fu eseguito un altro, con lo stesso tema, da Alessandro del Barbiere (1576), tuttora conservato. Si è supposto che l'opera di Masaccio fosse stata danneggiata dall'inonda-

zione del 1557, ma di un suo stato molto deteriorato non esiste traccia nella citazione del Vasari. Il cui accenno esclude inoltre — come già rilevato dal Salmi e dal Procacci — l'ipotesi [Longhi, 1940] che quanto visto dal biografo aretino possa identificarsi con l'Annunciazione Goldman di Masolino, dall'impianto architettonico arcaico e dove compare una sola colonnina. Invece doveva trattarsi di qualcosa di analogo al desco di Berlino (n. 22), o all'Annunciazione di Piero della Francesca nel polittico di Perugia [Parronchi, 1962], cioè con una folta prospettiva di colonnati, in cui si avevano effetti anche di scalatura aerea. All'ipotesi del Salmi [1948], che l'opera sia stata archetipo alle Annunciazioni dell'Angelico (edificio porticato con fuga prospettica verso sinistra), si è contrapposta l'idea dello Spencer [1955] che essa avesse piuttosto uno schema simmetrico con prospettiva centralizzata (come, per esempio, nell'Annunciazione di Domenico Veneziano a Cambridge); mentre per il Berti [1964] il dipinto doveva recare — forse per la prima volta anche in Masaccio, dopo le incorniciature gotiche, come nel polittico di Pisa —, l'incorniciatura "quadra a l'anticha", con lesene laterali e architrave, poi ripresa appunto dall'Angelico nelle sue Annunciazioni. Ultimamente il Parronchi [1966] suppone invece che il dipinto in esame avesse formato e sviluppo decisamente verticali, e che lo replichi un'Annunciazione di pittore manierista nel palazzo mediceo di Seravezza (1565 c.), che d'altra parte è invece una debole derivazione da un disegno di Perin del Vaga, presentato dallo stesso Parronchi. Per parte nostra, infine, segnaliamo l'opportunità che venga indagato radiograficamente il dipinto di Alessandro del Barbiere a San Niccolò, per escludere che non vi sia stata riutilizzata la precedente tavola masaccesca, ampliandola e magari girandone per alto il verso della composizione.

25 ⊞ ⊘ 114×55 *1428* ▤ :

SANTI GIROLAMO E GIOVANNI BATTISTA. Londra, National Gallery.

Il trittico — di cui l'opera faceva parte — già nella basilica romana di Santa Maria Maggiore, oggi ormai recuperato negli elementi sostanziali, si trovava "in una cappelletta vicina alla sacrestia", di patronato dei Colonna, dedicata a san Giovanni. Il Vasari lo ascrive tutto a Masaccio, e ricorda la visita fatta al dipinto assieme a Michelangelo, grandemente ammirato. Il complesso era a doppia faccia, sito su un altare posto tra le colonne; e mostrava da un lato, al centro, la Fondazione di Santa Maria Maggiore (oggi a Napoli, Gallerie di Capodimonte), con a sinistra il dipinto qui in esame, e a destra uno analogo, coi Santi Giovanni Evangelista e Martino (Filadelfia, Johnson Collection); sull'altro lato, al centro, l'Assunta (Napoli, Capodimonte), con a sinistra i Santi Pietro e Paolo (Filadelfia, Johnson), e a destra i Santi Liberio e Mattia (Londra, National Gallery). Collegamenti di ulteriori 'pezzi', alle cuspidi e alla predella, sono invece del tutto

Affreschi nella cappella Branda da Castiglione in San Clemente di Roma, con 'storie' di santa Caterina d'Alessandria e di sant'Ambrogio, generalmente assegnati a Masolino da Panicale. (Qui in basso, a sinistra) Veduta complessiva della cappella. (In alto) La Crocifissione (sulla parete di fondo); e (pagina accanto, in alto) la relativa sinopia. (Sotto quest'ultima, a sinistra) Particolare della sinopia della Crocifissione, relativo alle figure di cavalieri sulla sinistra (n. 26). (Qui sopra, al centro, da sinistra) Figura di cavaliere (presunto autoritratto di Masaccio) nella Crocifissione stessa, assegnata a Masaccio [Ragghianti, 1952]; e Cattedra di sant'Ambrogio (al centro del registro inferiore, sulla parete di destra), pure attribuita a Masaccio [Parronchi, 1964 e 1966]. (Pagina accanto, in centro, a destra) Sinopia del Martirio di santa Caterina (registro inferiore della parete di sinistra, in fondo), per la quale Oertel [1963] ha ventilato il riferimento diretto a Masaccio.

ipotetici (si veda Davies [1961]). Secondo Pope-Hennessy [1952] il trittico avrebbe presentato, su ciascuna delle due facce, un doppio ordine di dipinti; ciò comporterebbe l'originaria esistenza di altri sei elementi. Il complesso opistografo andò in seguito smembrato, essendo anche state segate le tavole nel senso dello spessore, così da separarne le facce. Nel 1653 i pezzi risultano in palazzo Farnese a Roma; nel 1760 i due dipinti oggi a Napoli eran passati nelle collezioni borboniche; gli altri quattro, dal 1815 al '45, nella collezione Fesch a Parigi e Roma, e infine suddivisi: i due ora in America furono pubblicati da L. Venturi nel 1930; i due di Londra, infine, vennero acquistati dalla Galleria soltanto nel 1950.

Se da un lato, nonostante il Vasari, la critica ha accolto pacificamente la palmare attribuzione a Masolino per gli altri scomparti suddetti, bisogna constatare che, tranne alcune riserve, si è verificato un esteso accordo anche nel riferimento a Masaccio dei *Santi Girolamo e*

Giovanni Battista. Esso fu proposto da Clark [1951] (datando al 1425-26), seguito da Longhi [1952] (stessa datazione), Salmi [1952] (al 1428), Meiss [1952] (al 1422-23), Brandi [1957] (al 1428), Hartt [1959] (al 1423), Berti [1964] (al 1428). Discorde, invece, ancora nel 1961, Davies; il Procacci [1951, 1952] ha finito con l'ammettere che spetti a Masaccio il disegno complessivo e la stesura pittorica di alcune parti, come il piede in vista, insistendo però che il compimento spetta a Masolino o altri, e comunque datando al 1428. Così, giunse ad accettare l'attribuzione a Masaccio, con un aiuto, Middeldorf [1962], che in precedenza aveva ascritto l'opera al 1435 circa, scorgendo elementi dell'Angelico e di Domenico Veneziano. A quest'ultimo l'ha assegnato invece il Gioseffi [1962], con data 1431-32. Successivi accoglimenti dell'autografia masaccesca si hanno poi da parte di Baldini, Berenson [1963], Parronchi [1966] (datando al 1423) e Bologna [1966] (al 1425).

Se dunque la paternità artistica di Masaccio (sia pure con la

supposizione di completamento altrui) si è affermata in virtù d'inequivocabili qualità — basti considerare la saldezza fisica e l'intensità morale delle figure; le soluzioni possenti, come la destra scorciata del san Girolamo che regge il codice; il perfetto riscontro tipologico dei volti con figure del maestro: per esempio, le due a destra nel *San Pietro che risana gli infermi con la propria ombra* della cappella Brancacci (n. 17 F) —, può sorprendere invece la diversità di opinioni circa la data, dovuta peraltro a considerazioni esterne, come il supposto viaggio di Masaccio e Masolino a Roma in occasione del Giubileo, preteso del 1425, mentre il Parronchi lo riferisce al 1423. Sennonché induce a escludere quest'ultima precoce datazione il confronto con il trittico di San Giovenale del 1422 (n. 1 A-C), dove esistono particolari soluzioni simili, ma con ben altra acerbità; e inoltre tutta la restante parte di Masolino nel trittico non sopporta tale cronologia. D'altra parte occorre riconoscere che sia il viaggio del

1423 sia quello del 1425 sono meramente ipotetici, mentre certo è quello nel 1428; inoltre l'esecuzione di un solo pezzo da parte di Masaccio nell'insieme del trittico, e il fatto che questo sia stato probabilmente completato da altri, trovano una spiegazione verosimilissima appunto con la precoce morte dell'artista a Roma. Qui, sulle orme di Gentile da Fabriano, si possono intendere anche talune concessioni esortative al gusto romano (come il terreno fiorito) che compaiono nel dipinto in esame (e che d'altronde potrebbero risalire al prosecutore). Penetranti e puntuali osservazioni sul complesso e su un mutamento nel suo programma (indicato da radiografie ed esami ai raggi infrarossi) sono state svolte da Meiss [1964]: per quanto riguarda il laterale di Masaccio, lo studioso ha modificato l'opinione nella cronologia, orientandosi sul 1428 e ammettendo il compimento da parte di altri; e ha richiamato [anche 1963] alcune fonti iconografiche, in ispecie bizantine, per la testa in *pathos* del Battista, nonché tipologie brunelleschiane; così come, in particolare per il san Girolamo, la figurazione dello stesso santo dipinta da Mariotto di Nardo in un trittico oggi a Fontelucente di Fiesole.

Il Parronchi [1966] attribuisce a Masaccio anche un angelo nell'*Assunta* suddetta di Napoli, di una dolcezza che invece sembra tipicamente masolinesca.

26 ⊞ ✦ *1428 ▤ ⋮

CAVALIERI. Roma, Chiesa di San Clemente.

Il gruppo fa parte della sinopia relativa alla *Crocifissione* affrescata sulla parete di fondo della cappella di Santa Caterina nella basilica inferiore di San Clemente. "[Masaccio] Quivi [a Roma] acquistata fama grandissima, lavorò al cardinale di San Clemente, nella chiesa di San Clemente, una cappella, dove a fresco fece la Passione di Christo co' ladroni in Croce; et le storie di Santa Caterina martire" [Vasari, 1550]. Però l'attribuzione dell'intero ciclo a Masaccio, già messa in dubbio a partire dal secolo scorso, venne definitivamente trasferita a Masolino (tranne eccezioni, come in Lindberg, Oertel, Wassermann); e l'esecuzione — per conto del cardinale Branda Castiglione — riferita al 1428-32 [Toesca, 1909]. Più di recente il Gioseffi ha avanzato l'ipotesi che la cappella, precisamente dedicata ai santi Ambrogio e Caterina, patrona delle scuole e dei filosofi, fosse destinata dal Branda Castiglione al collegio per studenti poveri da lui fondato, e riconosciuto con breve papale del 3 novembre 1427, che diverrebbe il termine *post quem* per il ciclo pittorico. Vari studiosi puntarono tuttavia su Masaccio per la *Crocifissione* (in totale, o per un parziale intervento): A. Venturi [1925], Lindberg [1931], Beenken [1932], Toesca [1934] e — dopo il restauro attuato dal Pellicioli nel 1939 — Longhi [1940], che datava l'affresco al 1425, scorgendo la mano di Masaccio nei cavalieri sul crinale. Così, anche, il Lavagnino [1943], però riferendo l'inserto masaccesco e l'intero ciclo di Masolino addirittura al 1423. Il Salmi [1948] invece escludeva

la collaborazione diretta di Masaccio anche nella *Crocifissione*, e così il Meiss [1961]. Il Procacci [1951, 1954], mentre per ragioni di ordine storico considerava possibile l'esecuzione degli affreschi soltanto nel 1428, riconosceva nei cavalieri in esame il punto più masaccesco toccato da Masolino, pensando però, semmai, a un "rapido intervento di Masaccio" solo per la testa di cavaliere in distanza (che fu supposta raffigurante lo stesso Masaccio), a destra della Maddalena, testa che invece risulta [Berti, 1964] assegnabile a un restauro cinquecentesco.

Col 1952 però avveniva lo strappo della *Crocifissione* e il distacco della sinopia sottostante [Urbani, 1955], il che permetteva rilievi più puntuali, nonché la scoperta della sinopia della *Decapitazione di santa Caterina*, un affresco sulla parete di sinistra nella stessa cappella. Il Brandi [1957], potendo studiare anche quest'ultimo, premesso che dall'affresco della *Crocifissione* si erano ora rimosse "le astute integrazioni operate [nel 1939] in chiave di chirurgia estetica masaccesca", giungeva alla conclusione che quanto a evidenza non spetta a Masolino nella sinopia della *Crocifissione*, la quale rivela chiaramente due mani diverse, potesse spettare ipoteticamente a Domenico Veneziano. Poi il Gioseffi [1962], pur non ammettendo autografi masacceschi né nell'affresco né nella sinopia della *Crocifissione*, prospettava che vari elementi rivelano, in quest'ultima, un disegno risalente appunto a Masaccio; poi, sopraggiunta la morte di quest'ultimo, nella stesura sarebbe subentrato un aiuto di Masolino, ma non Domenico Veneziano. Per il Berti [1964], invece, l'autore — nella sinopia della *Crocifissione* — del brano con il paesaggio, qualificato da un susseguirsi di rilievi a contorno deciso e di massa fortemente chiaroscurata (diversamente che nel paesaggio della sinopia della *Decapitazione di santa Caterina*), e dei cavalieri superstiti a sinistra, di analogo forte e sicuro segno, poteva essere precisamente Masaccio durante il soggiorno romano del 1428, poco prima della morte; mentre più probabilmente l'affresco — d'altronde oggi così guasto e rimaneggiato da essere ingiudicabile — fu realizzato tutto da Masolino dopo la scomparsa improvvisa del compagno. Oertel [1963] e Parronchi [1966], frattanto, hanno creduto di sorprendere la presenza di Masaccio in ulteriori parti del ciclo (per esempio, nella sinopia della *Decapitazione di santa Caterina*); peraltro, il Parronchi, escludendola proprio nella sinopia della *Crocifissione*, e asserendo che Masaccio abbia lavorato a San Clemente già nel 1428 ma nel 1423. Il Bologna [1966] ribadisce la tesi del Longhi sul soggiorno di Masaccio a Roma nel 1425, che sarebbe avvenuto a seguito della visita a Firenze, nell'aprile di quell'anno, del cardinale Branda Castiglione per trattative di pace, e si sarebbe concluso nel settembre dello stesso anno, "non senza qualche breve ritorno a Firenze", giusta l'ipotesi risalente ad A. Martini: ma in quattro o cinque mesi un tale andirivieni fra le due città, i lavori condotti a Roma con Masolino, e, frattanto, l'inizio a Firenze del ciclo Brancacci, non sembrano verosimili.

Altre opere attribuite a Masaccio

27 ⊞ ✇ 115×106 ⬜ ⦂
1426-30

LIBERAZIONE DI UN INDEMONIATO. Filadelfia, J. G. Johnson Collection.

Pervenuta dalla raccolta Spence a Fiesole, poi alla vendita Somzée a Bruxelles, quindi nella collezione Lanz (1909). È stata identificata [Schmarsow, 1928] nella "istoria di figure piccole, che oggi è in casa Ridolfo del Ghirlandaio, nella quale oltre il Cristo che libera l'indemoniato, sono casamenti bellissimi in prospettiva, tirati in una maniera che e' dimostrano in un tempo medesimo il di dentro et il di fuori: per avere egli presa la loro veduta non in faccia, ma in su le cantonate per maggiore difficultà" [Vasari, 1550] (prima opera citata dal biografo, per dimostrare l'applicazione di Masaccio nelle difficoltà prospettiche). Schmarsow l'assegnava a Masaccio direttamente, datando 1426; mentre Lindberg [1931] dubitava dell'identificazione perché "casamenti" non corrisponde propriamente alla veduta di un tempio vagamente simile al Duomo fiorentino, e perché gli episodi raffigurati sono tre: non solo la guarigione del fanciullo

28

epilettico presentato dal padre genuflesso; ma, a sinistra, l'episodio del "Rendete a Cesare quel che è di Cesare", mentre a destra si intravede nuovamente Cristo con gli apostoli. Lo studioso l'avvicinava pertanto a Masolino verso il 1424. Altri [Giglioli; Salmi] ritenevano tuttavia superabile la difficoltà — in quanto il Vasari doveva essere stato colpito soprattutto dalla prospettiva, che concorda, nel dipinto a Filadelfia, con la sua descrizione, e invece poteva essere stato impreciso nella connotazione del tema —; ed il Salmi, seguendo il Berenson, pensava a un'esercitazione prospettica eseguita nella bottega di Masaccio, precisamente da Andrea di Giusto, nel 1426, quando collaborava col maestro. Il Parronchi [1965] riferisce la citazione nella Guardaroba medicea di "una prospettiva di Masaccio" donata a Cosimo I, e tende a identificarla col dipinto di Filadelfia; successivamente [1966] giudicava quest'ultimo una replica (il che spiegherebbe le inesattezze) di un'esercitazione prospettica dovuta al Brunelleschi, condotta da Masaccio verso il 1425. Anche ad avviso dello scrivente [1964], l'opera in esame — impensabile per le sole forze d'un Andrea di Giusto o simile — deriva, ma con notevoli modifiche, da qualche originale di Masaccio, la cui data però potrebbe anche cadere non molto dopo il 1422, quanto allo studio architettonico, mentre il gruppo delle figure sembra echeggiare il Tributo Brancacci (n. 17 D). Essa forse è una indiretta ma importante testimonianza degli studi sulla prospettiva che Masaccio dovette avere affrontato in connessione con le scoperte brunelleschiane: anche se poi — almeno nelle opere superstiti, eccettuata la Trinità (n. 21) — l'interesse plastico per la figura umana prevalse in lui sulla resa artificialmente complicata e scientificizzata di una spazialità soprattutto architettonica. Sul dipinto di Filadelfia rimane da dire che altri ha anche proposto il riferimento a Francesco d'Antonio verso il 1429 [Shell, "AB" 1965].

28 ⊞ ✇ —— 🗎 ⦂

SANTO VESCOVO. San Giovanni Valdarno, Chiesa di San Lorenzo.

È purtroppo mal leggibile, assai consunto, nonché col volto cancellato e una grossa lacuna sotto le mani. Il Berti [1961] ne segnalava l'analogia con la figura di san Biagio del trittico di San Giovenale (n. 1 A), proponendone un'attribuzione al primo Masaccio, ma solo in via estremamente ipotetica. Oggi lo scrivente ritiene trattarsi piuttosto di imitazione della figura di quel com-

29

plesso (che a San Giovanni Valdarno doveva essere ben noto), posteriore di almeno un decennio (per la loggia della nicchia), però con ancora alcuni grafismi gotici: si veda, per esempio, il pastorale più sottile e indifferenziato che a San Giovenale, e le pieghe del panneggio falcate, nel bordo inferiore e altrove, che nel trittico appaiono già eliminate. Per il Bologna [1966] l'autore si identifica in quello del trittico stesso, che egli non pensa sia Masaccio (si veda n. 1).

29 ⊞ ✇ 320×235 🗎 ⦂

MADONNA FRA I SANTI GIOVANNI BATTISTA E MICHELE. Montemarciano, Oratorio della Madonna delle Grazie.

L'affresco, già in un tabernacolo campestre, fu poi inglobato in un oratorio del '400 modificato nel sec. XVI, rimanendo in parte (delle figure laterali e del trono) celato da un altare. Nel 1929, liberata la superficie e cancellati due angeli recanti una corona (aggiunti nel tardo '500), l'affresco venne restaurato; ma l'intervento è stato accusato di eccessiva pulitura e appiattimento. Proposta dal Magherini-Graziani [1904], l'attribuzione a Masaccio venne accolta dapprima da molti studiosi [Schmarsow; Berenson; Toesca; A. Venturi; Somarè; Salmi; Van Marle; Pittaluga], ma già allora respinta da altri, quali Giglioli, Beenken, Mesnil, Oertel. Il Lindberg [1931] ascriveva l'opera a Francesco d'Antonio, seguito dal Longhi [1940] e, più cautamente, dal Procacci [1951], nonché dal Berti [1952] e dal Berenson [1963]. Ma il riferimento diretto è riproposto dal Parronchi [1966], chiamando in causa un tirocinio iniziale di Masaccio presso Mariotto di Cristofano, e proprio perché non sarebbe possibile attribuire il dipinto a Francesco d'Antonio intorno al 1420 (ma non è questa la cronologia che gli assegnano coloro che vi riconoscono un evidente lavoro di Francesco d'Antonio, bensì il quarto decennio del secolo). La possibilità che l'affresco preceda, nel corso di Masaccio, il trittico per San Giovenale del 1422 (n. 1) è d'altronde esclusa — a parte la disponibilità precisa di un altro autore — dalla gracilità, oltreché stilistica, di temperamento, che nemmeno agli esordi è supponibile in Masaccio: si vedano, per esempio, il bruttissimo putto pedalante mentre succhia da un seno piatto e inverosimile; il trono inconsistente, dalle misere fioriture gotiche e dalla predella inertemente disegnata, e così via.

27

Repertori

Indice tematico

Indice dei titoli

Indice topografico

Indice del volume

La chiave dei simboli
posti nell'intestazione di ciascuna 'scheda' è data alla pag. 82.

Fonti fotografiche

Illustrazioni a colori: Scala, Firenze; Staatliche Museen, Gemäldegalerie Dahlem, Berlino; Witty, Sunbury-on-Thames. Illustrazioni in nero: Alinari, Firenze; Archivio Rizzoli, Milano; Soprintendenza alle Gallerie, Firenze.

Grafici di Sergio Tragni.

Direttore responsabile: GIANFRANCO MALAFARINA
Registrazione presso il Tribunale di Milano, n. 84 del 28-2-1966.
Spedizione in abbonamento postale a tariffa ridotta editoriale:
autorizzazione n. 51804 del 30-7-1946 della Direzione PP.TT. di Milano
Editore stampatore: RIZZOLI EDITORE S.P.A.
MILANO, VIA A. RIZZOLI 2 - PRINTED IN ITALY